Petite

COLLECTION DES DEUX SOLITUDES
directrice : Michelle Tisseyre

OUVRAGES PARUS DANS CETTE COLLECTION :

ASHLEY ANDERSON, William
L'ange de la baie d'Hudson, récit
traduction de Michelle Robinson

BERESFORD-HOWE, Constance
Le livre d'Ève, roman
traduction de Michelle Robinson

CALLAGHAN, Morley
Cet été-là à Paris, récit
traduction de Michelle Tisseyre
Telle est ma bien-aimée, roman
traduction de Michelle Tisseyre
Clair obscur, roman
traduction de Michelle Tisseyre

CARR, Emily
Klee Wyck, récit
traduction de Michelle Tisseyre
Petite, récit
traduction de Michelle Tisseyre

DAVIES, Robertson
Cinquième emploi, roman
traduction d'Arlette Francière
Le lion avait un visage d'homme, roman
traduction de Claire Martin
Le monde des merveilles, roman
traduction de Claire Martin

FRENCH, Alice
Je m'appelle Masak, essai
traduction de Michelle Tisseyre

LAURENCE, Margaret
L'ange de pierre, roman
traduction de Claire Martin
Les oracles, roman
traduction de Michelle Robinson
Un Dieu farceur, roman
traduction de Michelle Robinson

MACSKIMMING, Roy
Formentera, roman
traduction d'Arlette Francière

MITCHELL, W.O.
Qui a vu le vent, roman
traduction d'Arlette Francière

RICHLER, Mordecaï
Duddy Kravitz, roman
traduction de Jean Simard
Mon père, ce héros, roman
traduction de Jean Simard

STACEY, Charles P.
La vie doublement secrète de Mackenzie King, récit
traduction de René Chicoine

SUTHERLAND, Ronald
Un héros nouveau, essai
traduction de Jacques de Roussan

WATSON, Patrick
En ondes dans cinq secondes, roman
traduction de Laurier La Pierre

WIEBE, Rudy
Les tentations de Gros-Ours, roman
traduction de Michelle Robinson

WRIGHT, Richard B.
Un homme de week-end
traduction de Jean Paré

Grâce à un programme d'aide à la traduction du Conseil des Arts, il est enfin devenu possible de faire connaître au Québec les œuvres marquantes d'auteurs canadiens-anglais connues souvent dans tous les pays de langue anglaise, mais ignorées dans les pays de langue française parce qu'elles n'avaient jamais été traduites.

Ce même programme permet aux œuvres marquantes de nos écrivains d'être traduites en anglais.

La Collection des Deux Solitudes a donc pour but de faire connaître, en français, les ouvrages les plus importants de la littérature canadienne-anglaise de ces dernières années.

La version originale de cet ouvrage d'Emily Carr a été publiée sous le titre de

THE BOOK OF SMALL.

EMILY CARR

Petite

récit

Traduit de l'anglais par
Michelle Tisseyre

PIERRE TISSEYRE
8925, boulevard Saint-Laurent — Montréal, H2N 1M5

Dépôt légal : 4e trimestre 1984
Bibliothèque nationale du Canada
Bibliothèque nationale du Québec

L'édition originale de cet ouvrage
a été publiée pour la première fois
par Clarke, Irving & Company Limited
en 1942.

La traduction de cet ouvrage a été
subventionnée par le Conseil des Arts du Canada.

Illustration de la couverture : Mort Walsh

ISBN-2-89051-109-X

À Ira Dilworth

Table des matières

Petite

Une petite ville et une petite fille

Petite

Dimanche

Nos dimanches étaient tous semblables. Ils commençaient le samedi soir, après le départ de Bong, notre boy chinois, une fois sa vaisselle terminée, et après que nous eûmes rangé jusqu'au lundi, dans leurs boîtes et tiroirs, nos jouets, nos poupées et nos livres — à l'exception du *Point du Jour* et du *Voyage du pèlerin*, de Bunyan. Nos livres de prières et nos bibles prenaient de grands airs et se gonflaient d'orgueil, de minute en minute. Puis le séchoir faisait irruption dans la cuisine sur ses roulettes et se pavanait autour du poêle, invitant nos belles toilettes toutes propres à s'y accrocher pour prendre un peu l'air.

Au milieu de la pièce, trônait l'énorme baignoire de bois — mi-cercueil, mi-bain de bébé — avec à côté un tapis de catalogne sur lequel nous nous égouttions.

Pour arriver à remplir le grand chaudron à soupe en fonte, la bassine à lessive en cuivre et les bouilloires qui déjà occupaient toute la surface du poêle, notre grande sœur Dide devait manier furieusement notre vieille pompe, à laquelle les premières gouttes arrachaient des plaintes déchirantes. Elle apportait ensuite le savon Windsor, réchauffait les serviettes et revêtait un grand tablier blanc à bavette. Le temps que maman nous déboutonne et l'eau bouillait déjà.

Dide frottait fort et malheur à celles qui se trémoussaient : elle leur assénait quelques bons coups du gobelet métallique à long manche !

Le bain terminé, Dide nous transportait, tour à tour, à califourchon dans les couloirs glacés, jusqu'à notre chambre. Toutes fumantes encore et fleurant le bon savon, nous avions le droit, le samedi soir, de faire nos prières à genoux dans nos lits. Après quoi, enfouies sous les couvertures, nous basculions doucement dans le dimanche.

Le lendemain matin, dès sept heures, papa surgissait à nos côtés en s'écriant: «Debout, mes enfants, debout! C'est aujourd'hui dimanche!» Nul besoin de nous le rappeler: nous connaissions bien son odeur particulière, ce jour-là — un mélange de savon au goudron Wright's et de camphre. C'est que papa avait apporté avec lui, à bord du voilier qui l'avait amené d'Angleterre, par le cap Horn, un superbe secrétaire en bois de camphrier. C'est là qu'étaient rangés ses habits du dimanche, et c'est ce qui expliquait leur odeur. Ce secrétaire était très haut, très lourd, orné de poignées en laiton et de boutons en bois. La partie supérieure se rabattait pour former une table à écrire avec des casiers au fond, et en dessous, il y avait des tiroirs de différentes tailles — les petits servant à ranger cols et mouchoirs, les grands le linge. Au sommet du secrétaire, dans un petit meuble soigneusement fermé et verrouillé dont la clef était suspendue avec beaucoup d'autres à son porte-clefs, papa gardait ses papiers. Ce meuble comportait aussi un tiroir secret, surmonté d'une plaque en laiton sur laquelle on pouvait lire le nom: R.H. CARR. Enfin, en haut tout à fait, sur le petit meuble en question, se trouvait «le petit Hollandais», une figurine de porcelaine à l'estomac rempli de bonbons de toutes les couleurs, pareils à des grêlons, et à la tête qui s'enlevait. Si nous avions été sages durant la semaine, le dimanche matin nous méritions de la grêle...

La prière du matin était remplie de mots savants — que seuls papa et Dieu comprenaient; des mots pleins de révérence, qui semaient la terreur.

Le dimanche, aucun travail n'était permis dans le foyer Carr. Tout avait été férocement astiqué la veille, et les repas préparés à l'avance. À l'heure du déjeuner, Bong venait traire la vache, et nous ne le revoyions plus jusqu'à la traite du soir. Les lits faits et la table mise pour le repas de midi, nous revêtions nos tenues les plus empesées et les plus inconfortables, pour nous rendre à l'église.

Notre famille avait, pour ainsi dire, été coupée en deux par les morts successives, à leur naissance, de nos trois frères : William, John et Thomas. Il y avait par conséquent, entre nos sœurs ainées, Dide et Tallie, et nous, les quatre plus jeunes, une grande différence d'âge.

Lizzie, Alice et moi portions toujours des toilettes identiques. Papa aurait bien aimé que nos grandes sœurs en fassent autant, mais elles s'y refusaient obstinément et notre mère, en cela, les appuyait. Papa trouvait qu'en étant vêtues différemment, nous avions l'air d'être des orphelines. Car il y avait justement des orphelins assis devant nous à l'église, et comme les gens leur donnaient ce qui ne pouvait plus servir à leurs propres enfants, il n'y en avait pas deux qui étaient habillés pareillement. Cela faisait parfois d'étranges combinaisons de styles et de couleurs.

Une fois prêtes, nous nous rendions dans la chambre de maman pour qu'elle nous inspecte. De santé fragile, elle ne pouvait ni se lever tôt, ni marcher les deux milles qui nous séparaient de l'église. Pas plus d'ailleurs que Tallie et le petit Dick.

Papa allait à l'église presbytérienne du pasteur Reid, au coin des rues Pandora et Blanshard. Non par allégeance toutefois. C'était seulement parce qu'étant un peu sourd, il aimait bien les sermons du pasteur Reid qu'il arrivait à entendre à condition d'être placé suffisamment en avant. Il n'y avait devant nous que les orphelins, et devant eux que le poêle, dont la chaleur avait tôt fait de les endormir. Mais le pasteur Reid se montrait très compréhensif à leur égard ; il n'essayait jamais de les réveiller en refermant bruyamment sa bible, ou en élevant fortement la voix. Moi aussi il m'arrivait de m'assoupir, mais je luttais de toutes mes forces contre l'envie, en pensant à ce qui m'arriverait à la maison en sortant de table.

Aussitôt que le révérend Reid avait prononcé son amen, nous nous précipitions dehors et filions tout droit à la maison ; papa nous disait que c'était très mal élevé de rester sur le perron de l'église à jacasser. Nous dévalions la montée de l'église, passions devant le jardin du couvent, remontions la côte de Martin, traversions la partie inculte du parc de Beacon Hill, pour nous retrouver enfin devant notre grille. Nous ne nous arrêtions qu'une seule fois en cours de route, pour cueillir de la cataire à donner à nos chats, et nous ne nous retournions qu'une fois franchie notre grille.

Si le chemin avait été moins sinueux, nous aurions pu aller en droite ligne, sans un seul tournant, de la barrière de notre champ de lys jusqu'à la porte de l'église. Lizzie, Alice et moi marchions de front, avec Dide d'un côté, et papa de l'autre. Dide portait une ombrelle et papa une grosse canne jaune — pour son confort, notez bien, et pas du tout par ostentation. S'il nous arrivait de croiser quelqu'un ou de rencontrer un obstacle, nous nous rangions derrière lui, pareilles à la queue d'un cerf-volant.

Nous étions toujours très en avance à l'église ; nous voyions donc arriver les orphelins, marchant en rangs. La surveillante plaçait toujours un orphelin dissipé entre deux orphelins sages, et les tout petits à côté des grands ; puis elle s'asseyait derrière eux, de façon à pouvoir les surveiller et rappeler à l'ordre tout orphelin indocile. Soulagée de les voir plongés dans le sommeil, elle faisait très attention de ne pas les réveiller, à moins que l'un d'entre eux, souffrant de végétations, ne se mette à ronfler.

Dès que la cloche s'était tue, une petite porte s'ouvrait en face des orphelins. Le révérend Reid faisait son entrée, et quelqu'un refermait la porte derrière lui — une porte arrondie du haut et qui se fermait avec révérence.

Le pasteur Reid avait des yeux brillants et des lèvres très rouges. Il portait une toge noire avec deux petits rabats blancs qui faisaient penser à la queue d'un oiseau niché dans sa barbe. Comme Moïse, il tenait à la main un rouleau sur lequel était inscrit tout ce qu'il allait nous dire. Il avançait à pas lents entre les orphelins et le poêle, montait en chaire, et se mettait à prier. Les « s » grésillaient dans sa bouche comme s'il les faisait sauter à la poêle. C'était un très gentil pasteur et le seul que papa ait jamais invité à dîner.

Aussitôt que le révérend Reid avait prononcé son amen, nous nous précipitions dehors et filions tout droit à la maison ; papa nous disait que c'était très mal élevé de rester sur le perron de l'église à jacasser. Nous dévalions la montée de l'église, passions devant le jardin du couvent, remontions la côte de Martin, traversions la partie inculte du parc de Beacon Hill, pour nous retrouver enfin devant notre grille. Nous ne nous arrêtions qu'une seule fois en cours de route, pour cueillir de la cataire à donner à nos chats, et nous ne nous retournions qu'une fois franchie notre grille.

Au dîner, nous mangions de la selle de mouton froide. On l'avait fait cuire la veille, dans un grand four en fer blanc, monté sur pattes, que l'on poussait devant la cheminée de la salle du petit déjeuner, où il s'insérait parfaitement. Cette cheminée, papa l'avait copiée sur un modèle anglais; car à ses yeux, tout ce qui était anglais était de beaucoup supérieur à ce que l'on pouvait trouver au Canada. Ce four avait contourné le cap Horn avec lui, de même que les grandes assiettes en étain — avec compartiment à eau chaude — dans lesquelles il mangeait ses côtelettes et ses biftecks, les lourds meubles en acajou, et une foule d'autres choses qu'on ne pouvait acheter au Canada, à cette époque. Le four en fer blanc avait un mécanisme d'horlogerie que l'on remontait à la manivelle et qui faisait tourner le rôti à la broche. Il faisait «tic, tic, tic» dans un sens, et «toc, toc, toc» dans l'autre. La viande grésillait et crépitait, et quelqu'un ouvrait à tout moment la petite porte à l'arrière du four pour l'arroser avec la graisse tombée dans la lèchefrite posée dessous, en se servant d'une cuiller à long manche. Papa affirmait qu'un rôti de moins de vingt livres ne valait pas la peine d'être mangé, parce qu'il avait perdu tout son jus, et considérait par conséquent qu'il avait bien de la chance d'avoir une famille nombreuse.

Pour accompagner le mouton, nous mangions de la gelée de groseilles rouges, de la salade de pommes de terre, du chou mariné et, comme dessert, une tarte aux pommes avec beaucoup de crème du Devonshire. Le centre de la table était occupé par un énorme pain, placé sous l'huilier. Le boulanger, M. Harding, le faisait exprès pour papa tous les samedis. Il se composait de quatre miches cuites ensemble — moins vite rassies que des miches isolées — et avait la forme des pains de ménage : deux étages avec une cannelure sur le dessus.

Le repas terminé, papa, qui aimait toujours que tout soit impeccable, pliait soigneusement sa serviette et glissait ses longs doigts entre chaque pli après l'avoir introduite dans son rond. Puis il parcourait la table des yeux, de bas en haut, d'un côté, de haut en bas, de l'autre. Nous essayions de ne pas trop nous trémousser parce qu'alors nous étions sûres d'être choisies. Quand il avait décidé par qui il commencerait, il lui demandait :

— Dis-moi ce que tu te rappelles du sermon.

Quand c'était Dide qui commençait, elle le citait sans aucun ordre, en mélangeant tout. Quand c'était Lizzie, elle le récitait laborieusement, depuis le début jusqu'à amen. Alice se souvenait toujours du texte. Moi, si j'étais la première, je rappelais un bon mot du pasteur, sinon, je disais généralement : « Tout a déjà été dit par les autres, papa », et je me sentais affreusement mal quand il me répondait : « Fort bien, Alors répète-le-moi ! »

Ayant épuisé le sermon, papa allait dans le salon faire sa sieste dominicale, maman lisait, et Dide nous entreprenait sur la religion.

Nous l'accompagnions à la maison de l'évêque Cridge où elle faisait l'école du dimanche, en plus de nous, à d'innombrables enfants Ball et Fawcett, à un petit prétentieux du nom de Eddie, et à quelques autres enfants qui ne venaient pas régulièrement. La sœur de l'évêque, infirme, était toujours assise au coin du feu. Elle avait les joues creuses, des yeux perçants, ourlés de rouge, et elle portait la coiffe. Elle n'arrêtait pas de tousser, non pas par nécessité, mais pour bien nous faire sentir qu'elle était là, à nous épier.

Entre la fin du dîner et le moment où nous partions chez l'évêque, nous apprenions des prières, des versets et des hymnes. Je faisais honte à Dide parce que les Ball, les Fawcett et tous les autres enfants savaient toujours tout mieux que moi, sa propre sœur.

Quand nous savions nos leçons, nous recevions de petites cartes sur lesquelles étaient inscrites des citations bibliques. Six petites cartes vous donnaient droit à une grande. Je ne méritais à peu près jamais de carte et, lorsque par hasard il m'arrivait d'en obtenir une, je ne trouvais rien de mieux que de la perdre sur le chemin du retour, ce qui fait que je n'en avais jamais de grande. Je chantais, d'autre part, beaucoup mieux qu'Addie Ball, qui ne faisait que réciter les hymnes ; mais Dide se contentait de me dire de chanter moins fort tandis qu'Addie, elle, continuait d'ânonner sans même tenter de suivre la mélodie.

De retour à la maison, où Dide nous avait ramenées tambour battant, nous trouvions maman, avec son chapeau sur la tête, et papa prêts à nous emmener, comme chaque dimanche, faire le tour de la propriété. Dide, restée pour préparer le thé, se mettait au piano et jouait des hymnes, en tapant si fort sur les touches, qu'ils nous suivaient à travers champ. Tallie n'était pas assez résistante pour supporter la marche. Elle restait donc coquettement allongée sur le canapé en crin du salon, afin d'être bien reposée pour son visiteur du soir. Lizzie se défilait une fois sur deux, préférant s'installer dans un coin pour apprendre des versets. Elle en savait déjà des douzaines et guettait constamment l'occasion de nous les servir. « Qui se fâche dans l'après-midi, sera toujours fâché au couchant... » Attisés par la magie des mots, le soleil semblait devenir de plus en plus brûlant et la colère montait au paroxysme. Si vous ne voyiez pas les choses du même œil que Lizzie, vous étiez sûre de crouler sous le poids de vos péchés.

Nous sortions par la porte de côté qui donnait sur le jardin et, après avoir traversé la cour et franchi je ne sais combien de barrières, nous arrivions enfin à des bosquets, qui bordaient le pâturage de deux côtés, prudemment clôturés à cause des vaches. Un sentier tortueux les traversait. Papa aurait souhaité que sa propriété rappelle en tous points l'Angleterre, aussi avait-il planté des primevères, des haies d'aubépines et toutes sortes de fleurs qui poussent là-bas. On y trouvait des pelouses et des échaliers. Il avait tenu en somme à bannir de la nature canadienne toute sa sauvagerie, pour la rendre aussi docile et anglaise que possible.

Plutôt que de suivre le sentier tortueux, nous en prenions un autre tout droit, de terre rouge, au pied de la haie. Papa venait en tête, suivi de maman qui tenait la main du petit Dick, devenu son fils unique depuis la mort de William, John et Thomas. Dick avait une gentille petite figure, les yeux bleus, des boucles blondes. On lui faisait porter un costume à jupe plissée dont la culotte découvrait en partie ses petites jambes maigres. Ces costumes étaient très à la mode et M. Wilson avait tout de suite compris qu'ils se vendraient bien à cause du petit canif suspendu à une cordelette qu'on passait à la boutonnière et qui se logeait dans une petite poche sur la poitrine. Dès qu'ils posaient les yeux dessus, tous les petits garçons harcelaient leurs parents pour s'en faire acheter un.

Alice traînait derrière Dick, les bras ballants, tandis que ses poupées, abandonnées sur la tablette de notre chambre, fixaient le vide. Papa trouvait en effet tout faux semblant répréhensible le dimanche, même les faux bébés. Je fermais la marche, désolée de me voir entourée de toutes ces clôtures et de cette haie épineuse.

M. Green, le père de mon amie Edna, emmenait sa famille à la plage chaque dimanche. On les entendait rire aux éclats et bavarder en passant. J'écartais furtivement les branches de la haie pour dire bonjour à mon amie.

— Bonjour! me répondait-elle. Qu'est-ce que tu dois t'embêter à faire le tour de votre pâturage! Viens donc plutôt à la plage.

— Je ne peux pas.

— Demande à ta mère.

Je me faufilais, entre Alice et la haie, jusqu'à maman.

— Je peux...?

— Tu sais bien que ton père tient à ce que tu nous accompagnes le dimanche!

Je repassais la tête pour faire signe que non.

Un jour, rassemblant tout mon courage, je demandai la permission à papa. Je l'aurais frappé qu'il n'aurait pas paru plus offensé :

— Mes neuf arpents ne te suffisent donc pas, qu'il te faille courir le monde? Et puis, tu trouves convenable, toi, d'aller à la plage le jour du Sabbat?

Un dimanche, je pus toutefois accompagner les Green. (Papa ayant la goutte, n'en eut pas connaissance.) On s'amusa tellement que je ne pus résister à l'envie de faire la maligne. Relevant le défi lancé par les garçons de me tenir en équilibre sur une bille flottante, je tombai à l'eau. Ce qui me valut, en rentrant trempée à la maison, un verset de Lizzie sur le péché et son châtiment.

Mais revenons à nos promenades dominicales...

La canne de papa était sans cesse à l'affût d'une racine à enfoncer, d'une branche à relever, d'une pierre à remettre en place. Tout devait toujours être impeccable.

Au bout de notre propriété, au seul endroit laissé à l'abandon, il y avait un fossé profond, rempli d'orties, d'où s'exhalait une odeur fétide. Arrivé là, papa se mettait à froncer les sourcils et à marcher de plus en plus vite ; si bien que pour arriver à le suivre nous devions foncer nez contre terre, telles des cailles effarouchées. Et si — oh malheur ! — on entendait des voix de l'autre côté de la haie, notre marche forcée virait à la déroute !

Ce coin de sa propriété était toujours pour mon père un grand sujet d'agacement. Dès son arrivée au Canada, il avait acheté dix arpents de bonne terre, à côté du parc de Beacon Hill. Il avait beaucoup dépensé pour les faire défricher, y laissant autant d'arbres que possible, car il les aimait, mais en y faisant extirper les broussailles, de façon à avoir des prés pour ses vaches et un grand jardin. Il s'était ensuite fait construire ce qui était considéré en 1863 comme une demeure imposante. Elle était entièrement en bois de séquoia venu de Californie. Les foyers étaient en briques importées du même État, et leurs manteaux en marbre noir. On n'avait utilisé que les plus beaux matériaux, car papa n'achetait jamais que la meilleure qualité. Il avait dû faire venir tout cela de très loin, et, en même temps, nous lui coûtions de plus en plus cher, la famille ne cessant de croître. Alors, quand un jour une dame Lush lui offrit un bon prix pour un de ses arpents, situé au fond de la propriété, en coin avec le parc, il accepta volontiers, en lui faisant toutefois promettre de ne jamais y établir un pub. Peine perdue, sitôt son terrain acheté, cette personne de peu de foi n'eut rien de plus pressé que d'y faire construire l'un des plus horribles saloons de Victoria. Mon père en fut révolté, mais n'eut aucun recours, sinon celui d'élever une haute clôture et d'espérer que la haie à cet endroit se couvre d'épines...

Le pub de Mme Lush s'appelait le *Park Hotel* — devenu plus tard le *Colonist*. C'était assez près d'Esquimalt — alors une station navale — pour être d'accès facile, de sorte que des voitures de louage remplies de matelots ivres et de dames bruyantes passaient nuit et jour devant notre maison, en route pour ledit hôtel. Mon père dut endurer ce supplice jusqu'à sa mort, survenue à l'âge de soixante-dix ans.

Après avoir enfin dépassé l'arpent du *Park Hotel*, nous ralentissions de nouveau le pas pour permettre à papa de jouir pleinement de sa propriété. Nous arrivions bientôt à ce que nous appelions « les perches », une clôture dont il fallait, pour accéder à notre champ de lys, déplacer les perches, appuyées aux deux extrémités à des poteaux sur lesquels avaient été pratiquées des encoches.

Rien n'aurait pu être plus beau que notre champ de lys, même pas au royaume des fées! Les lys sauvages, qui ne fleurissaient pourtant qu'en avril ou mai, semblaient toujours épanouis. C'est que par une sorte de magie, ils se logeaient, la première fois que vous les aperceviez, au fond de vos yeux et de vos narines, et lorsque vous y repensiez, leur parfum était toujours là. De grands pins élancés formaient, de leurs têtes, une voûte céleste, et à leurs pieds, le sol était propre et gazonné. Partout, les lys poussaient à profusion. C'étaient des lys blancs avec un cœur d'or et des yeux bruns qui, à cause de leur cou penché, fixaient la terre. Chaque lys avait cinq pétales recourbés dont les bouts effilés pointaient vers le faîte des grands arbres, tels des millions de petits doigts frémissants. Leur parfum avait une bonne odeur de terre fraîchement retournée. Non, vraiment, il eût été impossible de même imaginer un endroit plus magnifique.

Nous faisions ensuite demi-tour en direction de la maison, et grimpions pour franchir une nouvelle clôture. De l'autre côté, se trouvait une grosse pierre moussue, entourée de seringas, de spirées et de chênes. Papa et maman y faisaient une halte, tandis que nous, nous nous amusions à lire leurs pensées. Celles de papa étaient toutes de fierté d'avoir réussi à faire naître ce beau domaine, si parfaitement anglais, en pleine nature sauvage canadienne. Maman, elle, suivait des yeux nos jeux sages du dimanche et nos chuchotements.

Dès que papa se levait pour repartir, maman en faisait autant. Nous contournions alors le champ de foin le plus rapproché de la maison et rentrions par la grille du jardin, du côté opposé à celui que nous avions pris au départ. Nous y admirions les légumes, les fruits et les fleurs jusqu'à ce que la porte d'entrée s'ouvre en coup de vent et que Dide agite la grosse cloche en laiton, annonçant que le thé était servi.

C'était ensuite l'heure de la Bible, le moment le plus solennel de la journée. L'église et l'école du dimanche avaient toutes deux appartenu partiellement au pasteur Reid et à Dide. La lecture de la Bible était entièrement consacrée à Dieu. Bibles en main et remplis de révérence, nous entrions dans le salon.

À cause de la fraîcheur des nuits à Victoria, même en été, il y avait toujours une bonne flambée dans l'âtre. On avait déjà tiré les rideaux et placé la table devant le feu. C'était une table ronde, tendue d'une nappe rouge, et, quand nous en rapprochions nos chaises, l'éclat de la lampe en laiton, placée en son centre, éclairait toutes nos bibles.

Papa s'installait dans un grand fauteuil rembourré, maman sur une chaise basse, à haut dossier. Ils se faisaient face à l'endroit où la courbe de la table commençait à s'éloigner du feu. Entre eux, là où personne n'aurait pu endurer la chaleur, les chats s'allongeaient sur le tapis. De l'autre côté de la table, nous nous asseyions en demi-cercle, entre papa et maman.

Papa ouvrait la grande bible familiale à l'endroit marqué par un signet — un verset des Écritures — brodé au point de croix par Lizzie. Au centre, entre le Nouveau et l'Ancien Testament, se trouvaient des pages blanches sur lesquelles tous nos noms avaient été inscrits. Parfois, papa nous laissait les voir, de même que ceux de William, John et Thomas, écrits deux fois — à leur naissance et à leur mort. C'était l'unique circonstance où John, Thomas et William nous paraissaient réels et semblaient participer à la vie familiale. Nous additionnions leurs dates, mais ne savions jamais s'il s'agissait de jours ou d'années de vie. Comme ils étaient morts avant notre naissance et que nous ne les avions jamais connus bébés, ils appartenaient, dans notre esprit, au monde des grandes personnes.

Tallie s'intéressait davantage à la page des mariages. Deux noms seulement y figuraient : « Richard et Emily Carr », c'est-à-dire papa et maman.

Tallie demandait à papa :

— Est-ce vrai que maman n'avait que dix-huit ans quand elle t'a épousé ?

— Oui, répondait papa, et elle avait plus de tête que certaines personnes de vingt ans que je ne nommerai pas.

Papa avait toujours l'air contrarié quand la sonnerie de la porte d'entrée venait interrompre la lecture de la Bible, et que Tallie, étant allée répondre, ne revenait pas.

Nous lisions la Bible d'un bout à l'autre, y compris les chapitres sur les descendances, bien que papa ait eu du mal à prononcer certains noms. Nous poursuivions notre lecture interminablement jusqu'à neuf heures quand résonnait le canon d'Esquimalt. Papa, maman et Dide mettaient leur montre à l'heure, puis nous nous replongions dans notre lecture jusqu'à la fin du chapitre en cours. Nous, les trois plus jeunes, nous devions épeler la plupart des mots, et on devait nous dire comment les prononcer. Nous tombions de sommeil. Aussi fort que l'on appuyât le doigt sur le huitième vers à partir de celui qu'on venait de lire, quand votre voisin avait terminé et qu'il vous donnait un coup de pied sur le tibia, vous sursautiez et perdiez invariablement votre place. Vous vous faisiez gronder évidemment, et vous étiez furieuse contre votre doigt. Maman disait :

— Richard, les enfants sont fatigués...

Mais papa répondait :

— Faites un peu attention les enfants ! et il continuait jusqu'à la fin du chapitre. Il trouvait impoli envers Dieu de s'interrompre à mi-chemin, et nous ne devions pas non plus refermer notre bible en la claquant trop joyeusement, une fois sa lecture enfin terminée.

Aussi ensommeillés que nous ayons pu être pendant la lecture de la Bible, dès que papa ouvrait le *Sunday at Home*, nous nous réveillions comme un seul homme pour entendre le prochain épisode du roman-feuilleton. Mon père n'approuvait pas les contes de fée. Ce n'était pourtant pas autre chose que cet *Au-delà du vent du Nord*, mais comme cela paraissait dans le *Sunday at Home*, papa n'y voyait pas de mal.

Au moment d'aller nous coucher, nous embrassions maman. Mais pendant que les autres donnaient un baiser à papa, je courais me placer derrière lui — tellement j'avais horreur des barbes — et s'il se penchait en arrière, je pouvais tout juste atteindre sa calvitie naissante pour y plaquer un baiser sonore.

Dide allumait la bougie et nous la suivions, nous arrêtant au salon, en passant, pour dire bonsoir à Tallie et à son soupirant. Nous n'aimions pas tellement celui-ci à cause de son habitude de nous embrasser et de nous sermonner quand nous taquinions un peu trop notre jolie sœur — qui ne nous en imposait pas autant que Dide. Mais, tout de même, il apportait des bonbons — des chocolats pour Tallie et, «pour les enfants», un sac de brisures mélangées, de gros morceaux de divers bonbons que nous pouvions suçoter jusqu'au moment de nous endormir.

Dide couchait Dick ; Lizzie avait sa propre chambre, et Alice et moi partagions la même chambre. Nous nous aidions à nous déshabiller, toutes les deux, puis nous nous brossions les cheveux jusqu'à ce qu'ils retombent en mèches fines, bonnes à sucer.

— Si seulement il pouvait arriver le matin, avant l'église, disais-je en parlant du soupirant.

— Pourquoi ça?

— Parce que le dimanche serait plus chouette si on pouvait avoir un gros morceau de bonbon collé à l'intérieur de la joue toute la journée.

— Idiote! Comme si tu pouvais aller à l'église la joue gonflée par un bonbon comme s'il t'était poussé un autre nez! Et en salivant partout sur ta leçon de l'école du dimanche et sur ta bible!

N'oublions pas qu'Alice avait deux ans de plus que moi... Sur quoi elle cessait de brosser sa longue chevelure rousse, sautait dans son lit et se penchait au-dessus de la chaise sur laquelle était posée la bougie.

Pfft! soufflés la chandelle... et le dimanche.

La cour de la vache

Nous l'appelions la cour de la vache.

C'était une grande cour, mais dont les dimensions n'étaient pas uniquement déterminées par sa longueur et sa largeur. Il y avait aussi sa hauteur et sa profondeur à considérer. Au-dessus planait l'esprit de la maternité. Son beau sol en terre battue, durci par tant et tant de pas, laissait pousser de la verdure partout où il ne se faisait pas constamment piétiner.

De chaque côté de ce vaste espace, l'Ancienne et la Nouvelle Grange se faisaient face. Elles étaient toutes deux anciennes, à vrai dire, mais l'une d'entre elles était vraiment très vieille. C'est dans celle-là que logeaient les animaux de basse-cour ; la vache seule avait droit à la Nouvelle Grange.

C'est surtout dans sa cour, que l'on sentait la chaleureuse présence de la grande vache blanche et rousse, dispensatrice de vie. Quand elle avançait de son pas lent et désarticulé, son énorme pis se balançait en cadence. À une extrémité de son grand corps anguleux aux hanches en saillie, branlait sa tête massive, surmontée de ses longues cornes pointues. À l'autre, oscillant comme un pendule, pendait sa queue, au bout frisé. Ses sabots fourchus faisaient à chaque pas, en se posant dans la boue, un bruit de succion et de glissement, parfaitement accordé à la lenteur flasque, ballonnée et dodelinante de tout son être.

Quand nous nous retrouvions dans la cour, nous les trois petites, Grande se lassait toujours la première de nos jeux. C'était une enfant très droite, très soignée et très consciencieuse. Nul doute que le jardin ait beaucoup mieux convenu que la cour à ses jolies robes empesées et à ses bonnes manières ; d'autant plus que la vache lui faisait un peu peur.

Moyenne était une mère née ; elle avait des familles nombreuses de poupées. Elle aimait également la belle ordonnance du jardin et le laisser-aller de la cour.

Petite adorait la cour.

Assis sur son tabouret à trois pattes, occupé à la traire, Bong, d'une voix de tête, chantait en chinois à la vache. Le lait jaillissait en longs jets sonores, métalliques d'abord, en frappant les parois du seau vide, puis de plus en plus veloutés, à mesure que le seau se remplissait. Pour ne rien perdre de la chanson de Bong, la vache couchait ses grandes oreilles et levait son museau, jusque-là enfoui dans le seau à pâtée. Tirant une touffe de foin parfumé de son râtelier et, parfaitement immobile, elle mâchonnait silencieusement.

Une des sept barrières de la cour ouvrait sur un étang rond et profond. Les bords en étaient couverts de primevères et de jonquilles qui se penchaient tellement pour se regarder dans l'eau, que parfois elles se noyaient. Au printemps, l'air embaumait du parfum des lilas et des primevères roses et blanches. Les oiseaux venaient faire leurs nids. La vache, quand elle allait boire, marchait dans une large allée, pavée de pierres. Pour l'empêcher d'aller trop loin et de se couvrir de boue, on avait placé de chaque côté, et jusque dans l'eau, des bornes de fer. Les trois petites filles s'y juchaient, telles des poules couveuses, et pêchaient des têtards, à l'aide d'une louche qu'elles prenaient dans le seau à grain des poules. À la surface de l'eau brune, trois-petites-filles-à-l'envers leur faisaient la nique, tout comme, dans l'eau, une-vache-à-l'envers se moquait de la vraie vache en train de boire. Les têtards devaient bien rire, étant donné que sous l'eau, où ils allaient et venaient en tous sens, il n'y avait pas le moindre têtard-à-l'envers pour se moquer d'eux.

Le déversoir de l'étang serpentait dans la cour par un large fossé bordé de pierres. Deux ponts le franchissaient : l'un, composé de deux planches, à l'usage des gens ; l'autre, en troncs d'arbres, assez large et solide pour accueillir la vache. Les poules venaient boire dans le courant. Sous le pont, il y avait de la mousse dont les petites fleurs jaunes luisaient dans la fraîche pénombre comme des yeux de chat.

Il se passait toujours quelque chose dans cette cour, mais jamais plus qu'au printemps.

On y faisait d'abord un grand feu pour brûler l'énorme tas d'immondices accumulées pendant l'hiver — émondes du verger, branches d'arbres abattues par le vent, vieilles boîtes, vieux nids de poule, ordures ménagères et maintenant, pour couronner le tout, les rebuts du ménage du printemps.

Les trois petites filles s'asseyaient sur trois barils posés debout. Grande elle-même, les mains sagement posées sur ses genoux immaculés, aimait assister à cet événement saisonnier. D'autant plus que la vache, mise à brouter dans son pré, n'était pas là pour piaffer et balancer la tête de son côté. Moyenne et Petite — l'une serrant une poupée dans ses bras, l'autre un chaton — tapaient du talon contre les barils creux. Elles en tiraient un magnifique bruit de tambour.

Le garçon de ferme sortait de la grange avec du papier et des allumettes. Le feu flambait aussitôt en poussant de grands rugissements. Il faisait bientôt si chaud, qu'il fallait reculer les barils. Les poules couraient partout. Les lapins frémissaient de plus en plus du museau à mesure que les bouffées de fumée atteignaient leurs clapiers. Les canards se dandinaient jusqu'à l'étang pour se rafraîchir. Et bientôt il ne restait plus du feu que des cendres et de la braise. On rapprochait de nouveau les barils en les roulant et les trois petites filles faisaient alors rôtir des pommes de terre dans la cendre chaude.

En attendant qu'elles soient prêtes, Grande nous racontait des histoires, toujours d'un romantisme fou. Quand son imagination l'entraînait vraiment trop loin, Petite disait, en se tournant vers Moyenne :

— Allons, des histoires vraies maintenant! Vas-tu te marier?

— Naturellement! fusait la réplique. Et j'aurai au moins cent enfants. Et toi?

Petite réfléchissait.

— Tout dépend, disait-elle enfin. Si je ne me fais pas écuyère dans un cirque — tu sais celles qui traversent des cerceaux de feu — eh bien! j'épouserai peut-être un fermier ; à condition qu'il ait des tas d'animaux. Je n'épouserais jamais un simple cultivateur.

— Moi, disait Grande, je vais me faire missionnaire et aller convertir les païens.

— Ha! Ha! toi qui as peur de notre pauvre vieille vache! Que feras-tu devant les cannibales? demandait Petite. Tu devrais d'abord épouser un missionnaire et l'envoyer là-bas avant toi, comme ça, à ton arrivée, ils auraient moins faim...

— Tu n'es qu'une petite dinde, rétorquait Grande. Allez, les pommes de terre sont prêtes. Petite, sors-les, toi ; tu as déjà les mains et le tablier tout crasseux.

À peine le feu était-il éteint, que le printemps jaillissait de la terre brune, à travers les cendres et tout. La vache et les poulets s'attaquaient aussitôt aux tendres jeunes pousses, mais chaque nuit elles resurgissaient vaillamment. La vache surveillait les saules, au bord de l'étang. Au moment où les soyeux chatons gris allaient éclater de leur cosse, elle léchait les branches jusqu'à ce qu'elle les ait atteints et alors, avec moult reniflements à l'envers — l'air seulement expiré, jamais aspiré, pour montrer combien leur goût doux-amer lui était agréable — elle les dévorait. La paupière lourde, salivant délicieusement, elle mastiquait à se décrocher la mâchoire.

Vers cette époque, nos vieilles poules, déjà suffisamment énervées en temps normal, devenaient franchement insupportables. Elle couraient partout en ébouriffant leurs plumes, en caquetant et en protestant pour tout et pour rien. Puis brusquement, elles se posaient sur leurs nids, refusaient de s'en laisser déloger et fixaient le vide comme si leurs yeux orange pouvaient voir au loin. On les transportait alors dans un coin tranquille de la remise et on les installait dans des bottes de foin évidées, remplies d'œufs. Elles couvaient ainsi durant des jours et des jours. Si vous les touchiez, elles collaient leurs plumes à leur corps, s'accroupissaient davantage sur leurs œufs, et claquaient du bec. Puis, un jour que vous leur apportiez à boire et à manger — ayant pratiquement oublié qu'elles avaient jamais eu des pattes pour marcher — l'une d'elles vous paraissait sept fois grosse comme une poule normale, et vous aperceviez entre ses plumes des tas de petits poussins duveteux qui vous observaient. Elle sortait alors dans la cour en se pavanant devant les autres bêtes, suivie de ses poussins.

Une vieille poule, entre autres, très fière de ses rejetons, s'éloigna un jour en caquetant pour les garder auprès d'elle, et se mit à gratter le sol pour leur dénicher des insectes et des vermisseaux. Arrivés au fossé, ses petits n'eurent rien de plus pressé que de sauter à l'eau et de s'enfuir à la nage! Flouée, elle resta sur place en boudant.

— Ce qu'elle doit être furieuse, après les avoir couvés si longtemps! s'exclama Grande.

— Du moment qu'ils sont en vie, qu'est-ce que ça peut bien lui faire? rétorqua Moyenne. Ils seront trop heureux de revenir se faire chouchouter quand ils auront froid et qu'ils seront fatigués.

— Écoutez! s'écria soudain Petite, saisie d'une idée lumineuse : Si la poule a pu faire éclore des œufs de cane, pourquoi la vache ne pourrait-elle pas avoir un poulain? Ce serait tellement formidable d'avoir un cheval!

Grande se leva de la pierre sur laquelle elle était assise, et dit à Moyenne :

— Quelle petite dinde! Allons, viens, on va aller jouer à la dame dans le jardin et la laisser à sa boue.

Ainsi que l'avait prédit Moyenne, les canetons, une fois fatigués, revinrent à la vieille poule. Ravie, celle-ci s'accroupit en écartant ses plumes, et les canetons s'y glissèrent douillettement.

— Ne les sens-tu pas tout froids et mouillés sur ta peau ? lança Petite à la vieille poule, par-dessus le fossé, Puis, à part elle : Qu'est-ce que ça aime fort, une mère!

Elle jeta un coup d'œil circulaire dans la cour. À travers la clôture, elle aperçut la vache qui mastiquait, l'air à moitié endormie. Baigné de soleil printanier, le pré était couvert d'herbe nouvelle, et de boutons d'or. De quoi combler une vache.

Petite lui fit un signe de la tête :

— Tout de même, ma chère vieille vache, j'aimerais bien que tu te décides, au sujet du poulain. Je voudrais tellement apprendre à monter à cheval!

Ce disant elle prit son élan et sauta par-dessus le fossé. Elle alla à pas de loup jusqu'à la barrière, enleva l'anneau de fer qui la retenait et courut rejoindre la vache.

— Sois gentille, écoute! chuchota-t-elle à la grande bête poilue ; et la tirant par une de ses cornes, elle l'entraîna jusqu'à la clôture.

Docile, la vache se tint immobile. Petite grimpa sur la plus haute perche de la clôture et sauta sur la vaste étendue du dos roux, baucoup trop large pour qu'elle puisse y agripper ses petites jambes. Pendant un moment — le temps que la vache se remette de sa stupeur — Petite se trouva assise dans l'immense vallée comprise entre les cornes et les hanches osseuses du bovidé. Puis soudainement, on eût dit que la vache se désarticulait, projetant ses membres dans toutes les directions.

Propulsée dans le vide, Petite atterrit durement sur le sol pierreux.

— Brute! glapit-elle, dès qu'elle se fut libérée de la boue et des cailloux. Bong t'appelle peut-être la vieille dame, mais pour moi, tu n'es qu'une méchante vieille vache!

Impuissante, elle leva le poing vers la queue et les sabots qui s'esquivaient à l'autre bout du champ.

Ce soir-là, lorsqu'elle montra ses ecchymoses à Moyenne, en lui expliquant comment elles s'étaient produites, celle-ci lui dit :

— Tu ferais peut-être mieux d'épouser un fermier... tu ne sembles pas très douée pour le cirque.

Le printemps emplissait maintenant la basse-cour. On avait percé le secret des lapins qui avaient jusque-là barricadé l'entrée de leurs clapiers avec du foin et divers herbages, en faisant croire qu'ils étaient vides. Mais si vous vous en approchiez trop, ils tapaient du pied, bougeaient les oreilles et se transformaient en véritables lions. Maintenant que les clapiers étaient devenus trop chauds, les mères en avaient dégagé l'entrée, et de beaux petits lapins — trop nombreux pour qu'on puisse les compter — étaient apparus.

Un jour que la vache se tenait sous le fenil, le plus gentil bébé pigeon lui tomba sur le dos. Mais il y avait tant de nouveau-nés folichons dans la cour, à cette époque, qu'elle n'en fut même pas surprise.

Puis, un matin, leur père appela les fillettes dans la cour pour leur présenter un pygmée qui était la réplique exacte de la vache — aux taches près — sauf qu'il n'avait pas sa sagesse. L'air un peu hébété, comme les très jeunes bébés, il avait des pattes toutes drôles qu'il regardait sans trop savoir à qui elles pouvaient appartenir. Sa queue était bien à lui, toutefois, de cela il était sûr, car il la secouait joyeusement.

La vache en était follement orgueilleuse, et n'arrêtait pas de le lécher pour faire friser son poil.

La cour n'était évidemment pas le paradis, aussi s'y passait-il parfois des choses déplorables.

Au bord du fossé, poussait un arbre couvert de lierre. Le courant en avait déterré quelques racines, de sorte qu'elles émergeaient. Quand les fillettes faisaient voguer leurs petits voiliers sur l'eau du fossé, ces racines les faisaient verser, menaçant de noyer leurs poupées.

Ce n'était pas un arbre bien grand, mais, à cause de l'abondance du lierre, il paraissait énorme. Les feuilles du lierre formaient un écran sombre et dense à environ un pied du tronc, car elles pendaient au bout de longues tiges. Ce qu'on aurait bien aimé savoir c'est ce qui se tapissait, entre les feuilles et l'arbre, dans ce mystérieux espace. Tout en haut, au-delà du lierre, des branches dénudées s'agitaient, tels des bras décharnés, comme pour avertir d'une redoutable présence.

Un jour, les enfants entendirent leur père dire à leur mère :

— Le lierre a tué cet arbre.

Il leur parut singulier que le lierre puisse tuer quoi que ce soit. Petite réfléchit longuement au problème, sans toutefois demander l'avis de ses sœurs, par trop enclines à trouver ses questions idiotes. Elle n'aurait osé pour rien au monde introduire son bras dans cet espace!

Les pigeons survolaient l'arbre pour aller d'un toit à l'autre, mais sans jamais s'y poser. Les moineaux tapageurs qui logeaient dans les granges, s'aventuraient parfois dans le lierre ; ils y étaient instantanément réduits au silence, et on ne les en voyait jamais ressortir. Quelquefois aussi, il en émanait des hululements. Un jour que Petite était assise sur le billot de la cour, elle vit un hibou s'envoler silencieusement du lierre, comme s'il était chargé d'une mission secrète. Elle se glissa sans bruit dans la maison et, bien que l'heure n'ait pas encore sonné, se mit au lit, en rabattant les couvertures sur sa tête. En elle-même, elle baptisa cet arbre : « L'arbre tueur ».

Et puis, un jour, elle trouva sous l'arbre un moineau mort. Elle le ramassa. Il était tout froid, tout raide, sauf pour la tête qui retomba mollement sur sa main. Il avait les pattes en l'air, et une étrange taie grise voilait ses yeux.

Petite l'enterra dans une petite boîte remplie de violettes. La semaine suivante elle le sortit de terre pour voir ce qu'il advenait des choses mortes. Les yeux de l'oiseau s'étaient enfoncés dans sa tête, la boîte grouillait de vers et sentait affreusement mauvais. Petite s'empressa d'enterrer de nouveau l'oiseau.

Au bout de quelque temps, l'hiver arriva. Moyenne regarda par la fenêtre de la chambre et s'exclama :

— Le vieil arbre est tombé dans la cour!

Elles s'habillèrent à toute vitesse et sortirent constater le désastre.

L'arbre s'était brisé en tombant sur le pont de la vache. Il gisait en travers du fossé, pitoyable, son sommet scindé en deux. Le lierre épais, paraissant plus noir que jamais sur la neige, cachait toujours l'endroit mystérieux.

— Quelle chance qu'il ne soit pas tombé sur la vache. Il l'aurait sûrement tuée! s'exclama Petite. Cet arbre n'était qu'une méchante brute et je suis bien contente qu'il soit tombé!

— Pourquoi serait-il tombé sur la vache? Et pourquoi dis-tu que c'était une brute? s'enquit Moyenne.

— Parce que et parce que et parce que, dit Petite, en pinçant les lèvres très fort.

— Tu n'es qu'une petite dinde! conclut Moyenne.

À leur retour de l'école, les fillettes trouvèrent les branches supérieures de l'arbre déjà débitées et empilées avec le lierre, prêtes à aller au feu. Les petites racines rousses de la vigne collaient au tronc, tels des cheveux crépus. L'homme de peine était en train de scier des bûches à même l'arbre. Il en fit rouler une vers les fillettes :

— Tenez, voilà un siège pour vous.

Moyenne s'y installa ; Petite se rapprocha de l'homme :

— Monsieur Jack, quand vous avez coupé le lierre, avez-vous trouvé quelque chose dedans?

— J'ai trouvé l'arbre, pardi!

— Je veux dire, insista Petite d'une voix tendue, quelque chose entre le lierre et l'arbre?

— Rien que j'aie pu voir, répondit l'homme de peine. Aurais-tu perdu une balle ou quelque chose comme ça?

— Quand allez-vous brûler le lierre?

— J'attendais seulement que vous rentriez de l'école, répondit l'homme, en faisant craquer une allumette.

Une fumée âcre et épaisse aveugla momentanément les enfants. Quand elles purent voir de nouveau, de longues langues de feu léchaient les feuilles du lierre qui sifflaient comme cent chats en furie, avant de se dessécher, en crépitant, et de monter en flammes.

— Quel beau feu! s'exclama Moyenne. Si on faisait rôtir des pommes de terre?

— Non! dit Petite.

Le printemps suivant, alors que tout le monde avait oublié qu'il y avait jamais eu un arbre dans la cour de la vache, papa acheta un cheval.

Quelle agitation dans la cour! Les enfants crient, les poules courent, les canards se dandinent en faisant coin-coin; seule la vache ne daigne même pas lever les yeux. Elle continue de mâcher tranquillement les feuilles de légumes lancées en tas par-dessus la clôture du potager.

— J'imagine que ça va surtout être la cour du cheval, maintenant, dit Petite. Il est tellement plus grand et imposant que la vache.

— Plus haut, mais pas plus large, fit remarquer Moyenne, occupée à le jauger.

Le cheval aperçut soudain la verdure. D'un pas altier, ses fers sonnant la confiance, il franchit le pont.

La vache mâchonnait toujours, chassant les mouches de ses flancs, d'une queue nonchalante. Celle-ci ne cessait de se balancer que lorsque la vache savourait une feuille particulièrement juteuse. Elle se posait alors en rond sur son dos.

Quand le cheval s'approcha, la queue bondit du dos de la vache pour aller lui balayer le museau. Le cheval renifla et fit un écart, sans toutefois quitter des yeux le tas de verdure. Ses quatre pattes immobiles là où elles s'étaient posées, il étira tellement vers les légumes ses oreilles dressées, ainsi que son museau et ses babines, qu'à force d'être ainsi tordu, il semblait devoir tomber. La vache bougea très légèrement la tête et, pointant une corne droit sur l'œil du cheval, lui lança un regard meurtrier. Le cheval ramena vivement son corps là où il aurait dû être resté, soit au-dessus de ses pattes puis, les oreilles et la queue rabattues, il poussa un grand soupir et s'en alla.

— Je pense bien qu'on va toujours pouvoir l'appeler la cour de la vache, conclut Moyenne.

L'évêque et le serin

Petite a mérité un serin et elle l'aime de tout son cœur. Ah, ce qu'elle peut l'aimer!

Quand on lui a dit : « Tu peux choisir », et que, s'étant penchée au-dessus de la cage, elle a aperçu les quatre petites boules de duvet jaune — trop jeunes pour avoir même chanté leur première note — son souffle et son cœur se sont comportés de si étrange façon qu'elle a cru étouffer.

Elle choisit celui qui avait une aigrette. C'est le premier animal vivant qu'elle ait jamais possédé.

— Il est à moi! murmura-t-elle avec ferveur. Je serai son Dieu!

Comment être prudente alors que ses pieds ne songent qu'à danser? L'idée que la cage protège son nouvel ami la soulage ; elle peut ainsi le serrer sur son cœur, sans risquer de lui faire mal.

À l'exception du soleil et des fleurs qui montrent le bout du nez à travers la clôture, la longue rue est déserte. Petite aimerait bien pourtant montrer son trésor à quelqu'un, pour l'entendre s'exclamer : « Qu'il est mignon! »

Une grille s'ouvre pour livrer passage à l'évêque. C'est un saint homme — tout le monde s'accorde à le dire. Il a les yeux bleus, comme si à force de contempler le ciel ils en avaient pris la couleur. Sa voix douce, vague et distante, vient aussi sûrement de là-haut. Sur le noir de sa veste de clergyman, ses mains potelées paraissent transparentes.

Petite joue à la dame avec les fillettes de l'évêque, ce qui ne l'empêche pas d'être très impressionnée par sa présence. Quand elles passent devant son bureau, les petites marchent toujours sur la pointe des pieds. Dieu et l'évêque sont occupés à composer des hymnes et des versets.

Son joli petit oiseau! Comme il n'y a personne d'autre de visible, il lui faut bien le montrer à l'évêque. Les oiseaux appartiennent au ciel; l'évêque comprendra. Elle n'a plus peur du tout maintenant. Son oiseau lui donne du courage.

Petite traverse la rue en courant et s'arrête devant le prélat, en tenant sa cage à bout de bras :

— Monseigneur, Monseigneur, regardez!

L'évêque se rend vaguement compte que quelque chose lui barre la route. Il pose sa main potelée sur la tête de la fillette :

— Quelle jolie petite fille, dit-il, en la poussant doucement hors de son chemin.

Et il poursuit sa route. L'enfant demeure clouée sur place.

— Mon bel oiseau!

Le regard brûlant de fureur blessée qu'elle jette au dos de l'évêque aurait fort bien pu mettre le feu à son habit de clergyman.

La bénédiction

La religion de papa était sévère et stricte, celle de maman aimable. Papa fréquentait l'église presbytérienne, maman l'église anglicane. Pour nous, la religion était hybride : le dimanche matin nous étions presbytériennes, le dimanche après-midi nous étions anglicanes.

Le dimanche matin, à cause de la longue marche vers l'église, nous avions mal à nos petites jambes presbytériennes. Avant la fin du long sermon, nos cœurs étaient lourds et nos yeux fatigués. Mais malgré tout, le fait de sentir que l'église de papa était dans le vrai, nous rendait l'homélie plus supportable. Dans la chaleur étouffante de l'été, comme sous la neige ou la pluie, nous suivions fidèlement notre père. Les rages de dents, les maux de tête ou d'estomac, rien n'était jamais assez grave pour nous permettre de nous soustraire à la religion du dimanche matin.

En revanche, le dimanche soir, c'était pour nous un privilège que de pouvoir pratiquer la religion de maman. L'église anglicane avait l'avantage de se trouver à deux pas de la maison. Nous n'avions qu'à descendre Marvin's Hill et à franchir les bancs de vase de James' Bay pour y arriver. La petite église s'élevait sur le talus juste de l'autre côté.

Le service du soir représentait pour nous une faveur spéciale, en ce sens que nous ne pouvions y assister que si notre grande sœur voulait bien se charger de nous. Le fait d'être dehors le soir était en soi exceptionnel — la lune et les étoiles si hautes, et les lumières de la ville et du port, aperçues du sommet de Marvin's Hill, de notre côté des bancs de vase, si basses et clignotantes. Une rivière bourbeuse suivait, dans la vase, un tracé paresseux, énorme serpent d'argent rampant parmi les algues.

Au-delà du vallon, sur une crête rocheuse, s'élevait dans le ciel bleu nuit, la forme noire de la cathédrale Christ Church. Pour accompagner les fidèles qui venaient vers elle, elle faisait des gammes sur son carillon. Nous, qui n'avions non seulement pas de carillon mais même pas de cloche dans notre église, nous avancions au son lointain du carillon de la cathédrale.

Les bancs de vase ne sentaient pas toujours très bon, malgré les efforts des églantiers qui poussaient au niveau des hautes eaux pour masquer les mauvaises odeurs, et les brèves incursions de la mer, entre les jambes-de-bois-sans-mollets du pont de James' Bay, qui lavaient au passage les herbes boueuses.

Nous nous sentions bien dans notre église, et l'évêque y était aimable et bon. Par-dessus sa soutane noire, il portait un long surplis blanc. Ses grandes manches bouffantes, retenues au poignet par des bandes de tissu noir, se terminaient par de jolis ruchés. Chacune des jointures de sa main portait une fossette. C'était un homme d'une forte carrure, qu'accentuait encore l'ampleur de son surplis. Nous le voyions de très près, car notre banc se trouvait juste au-dessous de la chaire. Il nous semblait juché très haut et, chaque fois qu'il reprenait haleine, sa barbe se projetait en avant.

La voix de l'évêque était aussi douce que si elle nous était parvenue de la lune. Il séparait chaque phrase par un petit halètement poussif. Il avait un visage rond, auréolé de cheveux blancs, et il gardait presque toujours les paupières baissées sur ses yeux très bleus, comme s'il redoutait qu'ils ne pâlissent. Quand vous vous teniez devant lui, vous aviez l'impression que ce devait être l'envers de ses paupières, et non pas vous, qu'il voyait.

Les « Ah! » étaient ses interjections préférées. Non pas des « Ah! » de tristesse ou de contrariété, mais plutôt des « Ah! » d'une lenteur contemplative. C'était surtout sa bénédiction que nous attendions depuis le moment où nous étions entrés dans l'église. Il bénissait merveilleusement! Aussi, s'il nous arrivait de sommeiller pendant la plus grande partie du sermon presbytérien, malgré le confort que nous y offraient les bancs — coussins rouges, appuie-pieds, et tout et tout — jamais nous n'aurions osé nous assoupir pendant le sermon de l'évêque, de crainte de manquer sa bénédiction!

Notre église évangélique était très belle, et on y faisait toujours beaucoup de musique. Une dame en chapeau de velours rouge à brides touchait l'orgue.

Très haut, sous la voûte, étaient suspendus quatre magnifiques lustres. Ils comportaient de grands réflecteurs ronds, en fer blanc luisant et gaufré dont chaque repli s'emparait d'une part de lumière qu'il faisait rayonner dans toute l'église. Tout là-haut également, les becs de gaz vacillaient en sifflant. La musique s'échappait en chuchotant de l'orgue et allait faire de l'écho entre les lustres et les chevrons vernis.

Nous avions un chœur mixte qui chantait, non pas en surplis comme les chanteurs de la cathédrale du haut de la pente, mais en diverses tenues.

L'évêque gravissait l'escalier de la chaire. Il déposait les feuilles sur lesquelles était écrit son sermon sur la bible, elle-même posée sur un coussin de velours rouge. Puis, fermant les yeux, il commençait son prêche. De temps en temps, il s'arrêtait, rouvrait les yeux et, chaussant ses lunettes, se relisait pour être sûr qu'il n'avait rien oublié.

Après avoir tourné la dernière page de son texte, l'évêque prononçait doucement l'« amen » et levait ses grosses manches bouffantes d'où émergeaient ses mains. Nous nous levions alors et inclinions la tête. L'église était remplie de silence. L'évêque ouvrait les mains au-dessus de nos têtes ; ses paumes paraissaient toutes roses contre le blanc de ses manches. Et il nous bénissait comme s'il était allé chercher sa bénédiction directement chez le bon Dieu.

Alors, il descendait de la chaire, l'orgue se faisait entendre et le chœur chantait pendant son retour à la sacristie. Le bedeau était tellement pressé de moucher les cierges des bas-côtés que, dans le noir, tout le monde trébuchait sur les tabourets.

Les grandes portes se glissaient dans les murs en roulant sur leurs gonds, de chaque côté du portail, pour nous livrer passage. Dès que nous nous étions engouffrés dans la nuit, le bedeau les refermait et éteignait les lustres.

En remontant Marvin's Hill, chacun rapportait chez soi une parcelle de la bénédiction de l'évêque.

Le chant

Quand Petite chante, sa voix ressemble plutôt à un joyeux tintamarre qu'à de la musique ; elle comble en volume ce qui lui manque en élégance. Et, tout comme le feu ne pourrait s'empêcher de donner de la chaleur, le bonheur de Petite, malgré les protestations familiales, ne peut s'empêcher de se transformer en chanson. « Quelle cacophonie ! gémit la famille. Que vont penser les voisins... Tu nous fais honte ! » Peine perdue. Petite chante de plus belle.

C'est surtout dans la cour de la vache qu'elle chante. Non qu'elle s'y rende expressément dans ce but, mais elle est si heureuse chaque fois qu'elle s'y trouve parmi les animaux familiers, qu'elle n'a qu'à ouvrir la bouche pour que le bruit s'en échappe.

Dès que Petite va s'asseoir sur la corde de bois de la cour, le gros coq saute sur ses genoux et la vache vient tranquillement planter sa carrure devant elle. Une patte sous chacun de ses quatre angles, elle lui bouche complètement la vue de la vieille grange rouge, des poulaillers et du tas de fumier.

Le dos droit de la vache, vu de profil, apparaît à Petite comme une chaîne de montagnes, parcourue de collines et de vallons. Côté queue, la vache est carrée comme une boîte. Il n'y a en elle de courbe que ses cornes. Tout le reste — le dos, l'avant, la queue, le cou, le profil du museau et même le filet de bave qui lui coule du menton — n'est que ligne droite.

Dès les premières notes de la chanson, la vache relève le museau d'un coup sec, le braque vers le ciel, et se met à rouler les mâchoires. Plus le chant s'intensifie, plus la vache mâchonne et plus elle fait tournoyer ses oreilles comme si elle voulait, en brassant la chanson, l'incorporer à sa nourriture de façon à pouvoir la ruminer en déjeunant.

Petite adore son auditoire de la cour — les poules qui tournent vers elle leur tête folichonne tout en grattant le sol de leurs petites griffes, un œil fixant la terre à la recherche de vermisseaux, l'autre l'épiant ; les canards qui s'évertuent à cancaner plus fort que la chanson ; les pigeons qui claquent leurs ailes blanches ; les lapins qui hochent le museau — en signe de dérision ou d'appréciation, Petite n'a jamais pu le déterminer.

Une fureur blanche franchit la grille. Grande, en proie à une vive agitation et luttant pour boutonner son tablier à l'arrière, lance son venin :

— C'est honteux de t'entendre, Petite! Veux-tu arrêter ce bruit infernal! Tout de suite, tu m'entends? Que vont dire les voisins!

Petite ne fait que chanter plus fort, hurlant à pleins poumouns :

— La vache aime ça et c'est sa cour!

— Qu'elle y pose un toit, alors! Ou bien chante sous un parapluie, Petite, pour assourdir le bruit et ne pas le laisser ainsi déborder par-dessus la clôture! Bon, voilà la cloche du déjeuner! Chasse cette volaille de tes genoux et viens! « Qui chante vendredi, dimanche pleurera! »

— Qui pleurera? Moi, la vache ou le coq?

— Ah la la! Cette sale bête a salivé sur mon beau tablier tout propre, à présent! Vous êtes toutes les deux dégoûtantes!

Et Grande se précipite hors de la cour.

Le repas terminé, l'Aînée retient Petite :

— Tu fais scandale avec ta façon de chanter, Petite! Hier, je marchais dans la rue avec une dame. À un demi-pâté de maisons d'ici, elle s'est écriée : « Écoutez! On appelle au secours! » Comment penses-tu que je me suis sentie d'être obligée de lui avouer que ce n'était que ma petite sœur qui chantait?

Petite rougit, mais réplique avec obstination :

— La vache aime mes chansons!

Les vaches sont différentes des humains. Peut-être le poil qu'elle ont dans les oreilles leur sert-il à filtrer les sons...

L'évêque est venu rendre visite à la maman de Petite qui est malade. Il prie, tandis que Petite l'observe et l'écoute. La façon résolue dont il mâche ses mots, les yeux fermés, lui rappelle les ruminations de la vache. L'évêque a une bonne carrure; c'est un être calme, aux gestes mesurés. Petite lui trouve une grande ressemblance avec la vache.

En se relevant, le saint homme se rend compte que la petite l'observe.

— Tu pousses à vue d'œil, mon enfant! lui dit-il.

— Oui, acquiesce la maman, elle grandit beaucoup. Et sa voix aussi prend des forces! C'est un de nos problèmes familiaux...

— Il est bon de chanter, réplique l'évêque. Tu chantes des hymnes, je suppose, chère petite?

— Non, Monseigneur, je préfère des chansons de vache.

L'évêque pousse un « Ah! » de saisissement qui le suit jusqu'au bas de l'escalier.

— Tu n'aurais pas dû dire cela, Petite! Après tout, un évêque est un évêque! proteste la maman de Petite.

— Et une vache est une vache! Est-ce si mal de chanter pour une vache?

— Ce n'est pas mal du tout, ma chérie. J'aime beaucoup t'entendre chanter par ma fenêtre; tu es si joyeuse. Plus tard nous te ferons donner des leçons de chant. Et peut-être qu'alors les autres ne critiqueront pas tant ta voix.

— Mais la vache, elle, est-ce qu'elle aimera ma voix une fois qu'elle sera devenue toute petite et pincée ? Ce ne sera pas du tout aussi amusant de bien chanter que de faire déborder sa voix comme la confiture quand elle bout...

Les trois sœurs et le frère de Petite sont partis en vacances chez des fermiers du Metchosin. Petite est restée à la maison avec sa mère. Elle a d'abord ressenti un coup au cœur, elle qui aime tant les bêtes, de ne pas être de la partie. Mais le silence de la maison vide s'avéra pour elle une expérience nouvelle et il devait d'ailleurs y avoir de l'inattendu...

Une vieille amie de sa mère, Mme Gregory, vint en effet un jour passer l'après-midi.

Les deux dames approchaient de la cinquantaine. Encore jolies, très soignées avec leurs petites coiffes ornées de dentelle, le dos bien droit, elles s'assirent, d'un air sage, au bord des chaises en crin du salon et, tout en cousant, entamèrent la conversation.

Après avoir échangé des recettes de poudings, chanté les vertus de la flanelle rouge comparée à la flanelle blanche, soulevé le problème des domestiques chinois et discuté de leur cercle de couture — où elles fabriquaient des tabliers en toile de Hollande brune pour les orphelins — il ne leur restait guère de sujets à aborder.

Elles cousirent un moment en silence, puis Mme Gregory dit :

— Il y a eu du courrier d'Angleterre, ce matin, Emily. Le vieux pays te manque-t-il parfois... ?

La mère de Petite laissa flotter sur le jardin un regard vague.

— Mon foyer et ma famille sont ici, dit-elle.

Elles se mirent à se ressouvenir. « Te rappelles-tu ? » demandait l'une. Et l'autre d'enchaîner : « Il me vient à l'esprit... » De fil en aiguille, elle furent ainsi entraînées très loin de ce salon canadien. Elles se retrouvèrent toutes deux jeunes mariées, parcourant les sentiers du Devonshire avec leur Richard et leur William, s'arrêtant ici et là pour cueillir des primevères ou écouter le chant des alouettes et des coucous.

— Richard avait toujours voulu voir du pays, dit la mère de Petite.

— Mon William était fou de jardinage. Peu importait le lieu, pourvu qu'il s'y trouve de la terre à bêcher et des fleurs à faire pousser.

Si Petite n'avait pas su que Richard et William étaient en réalité son père et le mari de Mme Gregory, elle n'aurait jamais reconnu dans ces deux messieurs d'âge mûr, à l'air grave, les garçons rieurs évoqués par les deux amies.

Les dames posèrent leur ouvrage sur la table et, laissant retomber leurs mains sur leurs genoux, appuyèrent leurs épaules au dos rigide de leur chaise pour les reposer. Elles restèrent ainsi quelques instants à ne rien faire. Petite n'en revenait pas de les voir inoccupées, d'apercevoir dans leurs yeux, comme englouti par la rupture d'un barrage géant, le Canada céder la place à l'Angleterre ; de constater que, bien qu'assises dans ce salon et sur de vraies chaises, elles étaient en réalité ailleurs.

La maison était tout à fait silencieuse. Dans la cour, Bong fendait du petit bois en ânonnant une chanson chinoise.

Soudain, Mme Gregory suggéra :

— Si nous chantions quelque chose, Emily?

Et sans attendre, elle entonna : *I cannot sing the old songs now I sang long years ago . . .* *

La mère de Petite se joignit à elle, sans la moindre gêne ou la moindre hésitation. Leurs petites voix rouillées fusèrent à l'unissons. Ravies de constater qu'elles pouvaient toujours chanter leurs chères vieilles chansons, leurs voix s'amplifièrent, à mesure qu'elles prenaient de l'assurance.

Assise entre elles sur un tabouret, en partie cachée par la nappe, Petite dont elles avaient oublié la présence, observait et

---

* Je ne peux plus chanter les vieilles chansons que je chantais autrefois.

écoutait les deux femmes, voyait leurs doigts immobiles — ornés de leur seule alliance — posés sur le sombre lainage de leurs genoux ; les petites coiffes blanches, perchées sur leurs cheveux encore châtains ; le jabot de dentelle épinglé sous chaque menton par une énorme broche. Celle de Mme Gregory était composée de fleurs minuscules tissées avec des cheveux ayant appartenu à divers membres de sa famille, des fleurs sous verre, cerclées d'or et assorties à des pendants d'oreilles. La broche de la mère de Petite était de quartz veiné d'or que Richard avait lui-même extrait d'une mine de Californie, et qu'il avait lui aussi fait sertir d'or, ainsi que des boucles d'oreilles du même minerai pour sa femme.

Chaque dame portait, enroulée plusieurs fois autour de son cou, une mince chaînette d'or, à laquelle, cachée dans une petite poche brodée à l'avant de sa robe, était suspendue une montre, également en or. Là, montres et cœurs tictaquaient en duo.

Petite ne bougeait ni pied ni patte. Ces voix lui paraissaient aussi solennelles qu'à l'église. Elle avait toujours pensé que les dames-mamans cessaient de chanter quand il n'y avait plus de bébés à bercer dans la nursery. Mais voici que deux dames de près de cinquante ans, chantaient, la tête renversée en arrière, des chansons d'amour, des berceuses, des hymnes, *God save the Queen*, *Rule Britannia* — toutes chansons qui se déversaient dans le salon aussi aisément que celles de Petite dans la cour lorsqu'elle chantait pour la vache. À cette différence près, que ces dernières, tout comme les herbages que broutait la vache dans le pré, étaient semblables à des touffes d'herbe fraîchement arrachées, alors que les chansons des deux dames se seraient plutôt comparées à des chiques d'herbe ruminée...

Petite eut alors le malheur d'éternuer!

Bouches cousues. Pommettes écarlates. Ouvrage vivement repris sur la table. Et la voix de Mme Gregory, sévère :

— Trouve-moi mon dé, Petite!

Au même moment, la mère de Petite s'élance de la pièce en s'écriant :

— J'avais oublié le thé!

Petite ne souffla jamais mot de cet incident, mais depuis, lorsqu'elle se met à chanter dans la cour, assise sur la corde de bois, sa voix s'envole par-delà le dos de la vache, au-dessus de la cour et du jardin, jusqu'à la fenêtre de sa mère... Et tant pis pour Grande et l'Aînée si elles ne sont pas contentes!

Le fauteuil à prières

Le fauteuil en osier était neuf et il craquait quand quelqu'un s'y asseyait. Chaque jour, à huit heures moins le quart, papa y lisait la prière du matin. Son petit livre portait un tablier de calicot, car papa ne trouvait pas sa reliure de couleur vive assez convenable.

L'Aînée, une sœur beaucoup plus âgée que nous, les autres enfants, s'agenouillait devant une chaise dure, à dos droit; maman et le petit Dick, devant un fauteuil bas et moelleux. Nous, les trois fillettes — Grande, Moyenne et Petite — nous nous agenouillions généralement sous le bow-window, le visage enfoui dans son siège coussiné. Mais parfois papa faisait agenouiller Petite à côté de lui. Si elle ne baissait pas la tête assez vite, il lui faisait signe de venir à lui, et elle devait alors quitter la banquette de la fenêtre pour aller s'agenouiller sous le bras du fauteuil en osier. Elle y manquait d'air, et puis Petite aimait bien la banquette du bow-window, parce que de là, elle pouvait compter les belles-de-jour fraîchement écloses et les boutons de roses qui avaient grimpé à la fenêtre pour venir la regarder.

Le fauteuil en osier de papa aidait les enfants à prier. Il craquait et murmurait bien plus qu'ils n'auraient jamais osé le faire. Et quand enfin papa se penchait par-dessus son bras pour prendre le signet brodé au point de croix qu'il avait posé sur la table au début de la prière, le fauteuil, en guise d'amen, émettait un puissant râle.

Un matin que papa souffrait de la goutte, Petite crut l'entendre dire «Aïe!» au lieu de «amen». Mais elle ne pouvait en être sûre, car juste au moment où le fauteuil gémissait son amen, Tibby, la chatte, miaula de toutes ses forces, donnant ainsi à Petite une idée sensationnelle.

Depuis longtemps, elle désirait avoir un chien; depuis si longtemps à vrai dire, qu'elle ne se rappelait même plus quand l'envie lui en était venue. Ce devait être pour le moins au commencement du monde...! Et plus elle grandissait, plus elle se languissait pour ce chien.

Dès que tout le monde s'en fut vaquer à ses occupations, Petite prit Tibby dans ses bras et retourna au fauteuil à prières.

— Écoute Tibby, toi, moi et le fauteuil, on va demander au bon Dieu de te donner un bébé chien pour moi. Les poules ont bien des canards, alors pourquoi est-ce que toi tu ne pourrais pas avoir un bébé chien? Papa s'assied toujours dans ce fauteuil pour prier, alors ce doit être un bon fauteuil. Il sait dire amen parfaitement, en tout cas. Moi, je vais dire les paroles et vous, le fauteuil et toi, vous direz les amen. Ça m'est égal quel genre de bébé chien, tu sais... Pourvu qu'il soit bien vivant.

Elle fit basculer le fauteuil légèrement, et introduisit la chatte dans l'espèce de cage qui lui servait de base. Seule la queue de Tibby dépassait. «Tant mieux, pensa Petite, je la lui pincerai au moment de l'amen.»

L'amen de la chatte fut miaulé de façon si énergique que la mère de Petite accourut voir ce qui se passait.

— Pauvre chatte, dit-elle, elle a la queue prise!

— Tu as tout gâché, maintenant, maman!

— Comment cela?

— On priait pour avoir un bébé chien...

— Tu sais fort bien, Petite, que jamais ton père n'accepterait de voir un chiot dans son jardin!

L'anniversaire de Petite approchait.

— Je sais ce que tu vas avoir pour ta fête! dit l'Aînée.

— Est-ce que... est-ce que c'est...?

— Attends plutôt de voir.

— Est-ce que ça commence par un c...?

— Je pense que oui.

La veille du grand jour, les chansons de Petite parurent plus insupportables que jamais. Tout le monde maugréant, elle alla, de son pas sautillant, chanter dans la remise. Là, elle choisit trois boîtes de tailles différentes, et les nettoya soigneusement. « Quelle taille de boîte lui faudra-t-il? »

— Moyenne, qu'as-tu fait de ta vieille brosse à cheveux, maintenant que tu en as une nouvelle?

— Je l'ai jetée.

Petite alla fouiller dans le tas de détritus qui attendaient le grand feu du printemps, et trouva le dos de la brosse auquel il restait quelques poils.

— Si je le brosse bien avec ces quelques poils, ce sera tout aussi bien que si je le brossais un peu avec beaucoup de poils...

— Rosie, dit-elle, à sa poupée de cire, dont le visage était devenu lisse comme la main un jour qu'une maman insouciante l'avait laissée fondre au soleil, Rosie, je vais donner ton chandail à mon nouveau petit chien. Toi, de toute façon, tu es toute froide. Dès qu'il fait un peu chaud, tu fonds, alors... Les petits chiens eux sont vivants et frileux.

— Il... elle... oh Rosie, qu'est-ce que je vais faire si jamais c'était une *elle*? Ça m'a pris des années à trouver un bon nom, et c'est un nom de garçon. Qu'importe, après tout; l'Aînée m'a dit que les chiennes avaient toujours des tas de bébés. Alors!

Elle tressa un collier de passementerie écossaise aux couleurs vives et y cousit des agrafes à trois endroits. « Sera-t-il grand comme ça — ou comme ça — ou comme ça? Je me moque bien de sa taille pourvu qu'il soit en vie! »

Elle rangea le collier dans la poche de son tablier propre du lendemain.

— Va-t-en vite, jour, pour que demain arrive enfin!

Et pour hâter la venue de la nuit, elle alla vivement se mettre au lit.

Le père de Petite déverrouilla la porte d'entrée, ce qui ne fit que livrer à moitié passage au jour naissant. Le petit livre de prières, dans sa terne couverture, se chargea du reste. L'attente avant que le bras du fauteuil de son père ne craque pour signifier l'amen parut une éternité à Petite. Avec la lenteur d'un escargot, l'Aînée se leva enfin. Petite dut se retenir de toutes ses forces pour ne pas crier : « Vite, vite, mon petit chien! »

Tout le monde souhaitait maintenant son anniversaire à Petite et lui donnait des baisers. Puis on se dirigea vers la salle du petit déjeuner. Sur l'assiette de Petite, il y avait un paquet plat, très plat.

— Ouvre! Ouvre! s'exclamèrent-ils tous.

L'Aînée coupa la ficelle et dit, en remarquant le frisson dont étaient parcourues les mains de Petite :

— Je suis heureuse de voir que ta fête ne t'a pas empêchée de prendre ton bain froid.

Le cadeau était l'image d'une petite fille qui tenait un chien dans ses bras.

— Elle te ressemble, remarqua Moyenne.

— Non, elle n'est pas comme moi du tout; elle a un chien, elle.

Petite alla devant le feu en faisant semblant de vouloir réchauffer ses petites mains bleues. Elle prit quelque chose dans la poche de son tablier et l'y jeta.

— Je n'ai pas faim. Puis-je aller nourrir mes canards?

Dans la cour elle pourrait pleurer...

L'anniversaire n'en finit plus de s'étirer. Ce soir-là aussi, Petite se coucha de bonne heure.

— Petite, tu as oublié de faire ta prière! lui rappela Grande.

— Je n'ai pas oublié : Dieu est sourd.

— Tu es très, très vilaine de dire cela, Petite. Si tu allais mourir dans la nuit?

— Ça me serait bien égal!

Les années passèrent. Le père et la mère de Petite moururent. L'Aînée se montrait aussi peu compréhensive que ses parents au sujet du chien. Petite n'en parlait peut-être pas, mais le désir était toujours là, plus fort que jamais. Grande, Moyenne et Petite avaient beau être devenues des jeunes filles, l'Aînée les traitait en enfants, ne leur reconnaissant aucun droit. Petite, comme toutes les jeunes filles, bâtissait des châteaux en Espagne. Le sien était une arche, son homme un Noé, et c'était elle qui soignait les bêtes.

Puis voilà qu'aussi inattendu qu'un amen au milieu d'un sermon, Petite obtint son chien. Après une longue absence, elle trouva en effet à son retour une Aînée adoucie qui, voulant la garder à la maison, lui dit :

— Il y a un chien pour toi dans la cour.

Déposant sur la joue de sa sœur un baiser rapide, Petite sortit en courant. Elle s'agenouilla et prit le museau du chien entre ses mains. Il la renifla, la lécha, l'accepta. Lui aussi avait peut-être attendu un être humain qui lui appartiendrait vraiment. Elle le détacha et il tourna plusieurs fois autour d'elle. L'odeur du petit chien imaginé en rêve l'aurait-elle rendu jaloux?

Il avait déjà un nom. Le petit chien de rêve garderait donc toujours celui qui lui avait été donné en propre.

— Il faut lui mettre une chaîne, avertit l'Aînée, sans quoi il se sauvera. Et souviens-toi d'une chose, Petite : il ne doit jamais franchir le seuil de la maison!

Toujours accompagnée de son chien, Petite se mit à parcourir les plages et les bois. L'avoir était plus merveilleux que tout ce qu'elle avait pu imaginer.

Petite attendait une de ses petites élèves, assise sur un banc dans le parc. Le chien dormait à ses pieds. L'enfant, voulant surprendre Petite, arriva à pas de loup dans son dos et jeta ses bras autour de son cou. Petite laissa échapper un cri. Le chien bondit, happa le bras de la fillette, auquel il fit deux ecchymoses, et se recoucha, l'air honteux.

— Il est vicieux, ce chien, déclara l'Aînée.

— Pas du tout, il a seulement cru qu'on voulait me faire du mal, rétorqua Petite. Il était tout penaud quand il s'est rendu compte qu'il s'agissait d'une enfant.

— Il va néanmoins falloir l'enchaîner.

Les poulets destinés à la table étaient tués à proximité du chenil. Le chien sentait le sang, entendait leurs cris d'agonie. Un jour, la bonne lui chatouilla le nez avec une longue plume. Il s'élança, mais au lieu de la plume, il attrapa sa main. La bouche de l'Aînée eut un pli dur.

— Je vous assure que je l'ai beaucoup taquiné! plaida la bonne.

Ce jour-là, Petite se fit blesser dans un accident. On interdit au chien l'accès de sa chambre. Le cœur brisé, disgracié, abandonné de tous, il languissait dans son chenil. Petite fut envoyée en convalescence chez une vieille amie. Le jour avant son retour à la maison, le fils de la vieille dame lui annonça en bredouillant :

— Ils ont tué votre chien.

— C'est abominable! s'écria Petite, en poussant un hurlement de douleur. Trop injuste, trop cruel!

— Tais-toi, Petite, ordonna la vieille dame, c'était un chien vicieux.

— C'est faux! C'est faux! Les deux fois, il avait été provoqué!

Petite se mit à courir éperdument à travers champ. Puis, épuisée, elle tomba face contre terre dans le blé en herbe où ses larmes firent, entre les racines, une tache sombre.

— Ce n'était qu'un chien, Petite, dit la vieille dame incompréhensive. Tu as tort de te mettre dans cet état.

Petite rentra à la maison mais n'adressa la parole ni à l'Aînée, ni à personne d'autre pratiquement, durant six bonnes semaines. Elle avait pris les mains de l'Aînée en horreur ; leur vue lui donnait la nausée. En fin de compte, l'Aînée perdit patience :

— Ce n'est pas moi qui ai tué cette bête vicieuse, s'écria-t-elle, c'est la police!

— Tu l'y as forcée!

Petite put de nouveau supporter la vue des mains de l'Aînée.

Petite était maintenant une dame d'âge mûr. Elle se fit bâtir une maison. L'Aînée lui avait offert un autre chien. « Jamais plus, jusqu'à ce que j'aie ma propre maison » avait-elle répondu. L'Aînée s'était contentée de hausser les épaules.

Maintenant que Petite avait enfin sa maison, l'Aînée ne lui trouvait que des défauts.

— Elle est construite beaucoup trop en avant. Tu aurais pu avoir un beau jardin.

— Je voulais une grande cour à l'arrière.

— Avec des chiens à ne pas savoir qu'en faire, n'est-ce pas?

— Avec un chenil de bergers anglais à queue écourtée, oui!

L'Aînée montra sa tête — blanche maintenant — à la porte de la nursery des chiots de Petite.

— Que fais-tu donc, Petite?

— Je donne le biberon aux bébés. Ils sont trop nombreux, la mère n'y arrive pas.

— Pourquoi ne pas les noyer dans un seau?

— Ils sont très recherchés, tu sais — comme chiens de berger pour les moutons et le bétail.

— Combien as-tu de petits maintenant?

— Les huit d'Ève, les sept de Rhoda, les neuf de Lou.

— Juste ciel, vingt-quatre! Sans compter ces patriarches barbus que sont Moïse, Adam et les autres.

— Ouvre la porte à Adam, veux-tu?

Hirsute et majestueux, le sire du chenil fit son entrée. Il posa son menton sur l'épaule de Petite, assise par terre en train de donner un biberon, jeta un coup d'œil circulaire sur les murs contre lesquels, dans leurs boîtes, ses compagnes et leurs petits étaient blottis — un regard d'amitié qui incluait même l'Aînée ; puis, choisissant le coin le plus ensoleillé de la nursery, il alla s'y étendre.

— Dis donc, Petite, j'allais justement disposer du fauteuil en osier de papa. Tu n'aimerais pas l'avoir pour quand tu donnes le biberon aux petits?

— Le fauteuil à prières? ... Oh oui!

Et c'est ainsi que le fameux fauteuil devait finir ses jours — dans le chenil de Petite. Lorsqu'elle s'y assit pour la première fois, elle revit par la pensée la chatte Tibby, l'image du jeune chien, son désir fou d'avoir un chien vivant bien à elle, puis son premier chien. Adam vint poser son museau sur le bras du vieux fauteuil. Petite se pencha en avant et appuya sa joue sur la tête laineuse. Privé maintenant de sa fière raideur comme de ses puissants craquements, le vieux fauteuil réussit néanmoins à chuchoter un amen.

Mme Crane

J'entends deux femmes bavarder.

— Mme Crane a un grand cœur, dit l'une.

— Oui, et il est au bon endroit, répond l'autre.

Je pense : « Comme c'est étrange — les gens ont pourtant le cœur au milieu. Comment peut-on savoir si quelqu'un a le cœur grand ou petit, et s'il est bien placé ou non ? »

Peu de temps après que j'eus surpris cette conversation, notre mère tomba gravement malade. On nous expédia dans le jardin, ma sœur Alice, de deux ans mon aînée, et moi, avec nos poupées. Là, cachées derrière les groseilliers, nous pûmes observer l'arrivée d'un dog-cart jaune, haut sur pattes, qui vint s'arrêter devant notre grille. Mme Crane en descendit et remonta l'allée du jardin, d'un pas assuré.

— Elle vient aux nouvelles, chuchota Alice.

— Ce qu'elle peut être longue et étroite ! remarquai-je.

Silencieusement, je me mis alors à essayer de faire entrer dans Mme Crane tous les cœurs que je connaissais — le médaillon en or qui vous fait frissonner la peau du cou, les jolis « valentins » avec leurs guirlandes de myosotis, les cœurs en sucre ornés de devises, une affreuse chose brunâtre que maman disait être un cœur de porc et qu'elle faisait bouillir pour le chat — mais aucun ne semblait pouvoir entrer dans le corps long et étroit de Mme Crane.

À mesure qu'elle approchait de nous, elle n'arrêtait pas de grandir. Et quand elle monta l'escalier sur la pointe des pieds, elle nous parut à nous, accroupies derrière les groseilliers, rien de moins qu'une géante.

Ma grande sœur vint lui ouvrir. Après un bref conciliabule, elle nous apprit :

— Les enfants, la gentille Mme Crane va vous emmener chez elle jusqu'à ce que maman aille mieux.

Les grands yeux d'Alice s'assombrirent. Elle ramassa docilement sa poupée et se tourna vers la maison. Quant à moi, je déposai ma poupée d'un geste décidé et, solidement plantée sur mes deux jambes bien écartées, je déclarai :

— Je ne veux pas aller là-bas!

Ma sœur me secoua avec énervement. Mme Crane s'éclaircit la gorge.

On nous lava en nous frottant vigoureusement, puis on nous fit endosser nos robes les plus empesées, boutonnées jusqu'au cou. De ses serres gantées de chevreau noir, Mme Crane nous prit la main à chacune et nous entraîna au pas cadencé vers la grille. Tandis qu'elle l'ouvrait et alors qu'elle avait relâché la main d'Alice, elle resserra son étau sur la mienne. Ses yeux, quand ils se posaient sur Alice, étaient onctueux et chauds comme des pastilles de chocolat; mais lorsqu'ils me regardaient, le chocolat devenait froid et rassis.

On nous hissa sur la banquette arrière du dog-cart. Puis, on glissa sous nos pieds, pour qu'ils ne pendent pas, le magnifique sac de voyage en tapisserie de papa, avec des roses rouges sur les côtés et une énorme serrure en laiton. Dedans, il y avait des tas de robes propres, des mouchoirs et des brosses à cheveux.

Mme Crane monta devant avec son mari, dont le siège était surélevé d'une demi-banquette. Il fit claquer son fouet, et les roues jaunes se mirent à tourner à toute vitesse. Notre maison se fit de plus en plus petite jusqu'à ce que, à un tournant de la route, elle eût disparu complètement. Que le monde nous paraissait immense!

Nous franchîmes deux ponts. Sous l'un d'eux, il y avait des bancs de vase ; sous l'autre, l'usine à gaz — tous deux pestilentiels. Sur les ponts, les sabots des chevaux faisaient un tintamarre assourdissant, mais ensuite, ils martelaient la chaussée régulièrement et sans arrêt. Quand enfin la maison des Crane fut en vue, il nous sembla avoir fait au moins le tour de la terre et même, être arrivées sens devant derrière. C'est que vous dépassiez d'abord la grille arrière, pour entrer ensuite par la grille avant, la porte d'entrée se trouvant à l'arrière de la maison. Celle-ci donnait sur l'eau, sur une rivière aurait-on cru ; mais c'était en réalité la mer. Vous descendiez une pente pour atteindre la maison, et la remontiez pour aller à l'écurie. Tout était de travers ici, par rapport à la maison ; comme si le sablier de maman avait été posé sur le côté.

Mme Crane avait trois fillettes, dont deux étaient du même âge qu'Alice et moi. En nous entendant arriver, toutes trois sortirent de la maison en courant. Elles donnèrent un baiser poli à leur mère, et se jetèrent ensuite dans les bras de leur père, en l'embrassant comme du bon pain.

Un palefrenier vint chercher le cheval. Les petites s'évertuèrent à deviner ce que contenaient les paquets tirés de sous la banquette ; mais pour nous, le clac-clac des sabots qui s'éloignaient martelait en nos cœurs la plus grande désolation.

Le hall d'entrée de la maison était grand, chaleureux et sombre. Ici et là, la lueur d'un grand poêle tirait de l'ombre certains objets luisants, comme les canons d'un grand nombre de fusils suspendus au mur dans un râtelier, les chenets, les tringles de l'escalier. La serrure du sac de papa brillait aussi, de même que les pauvres yeux vitreux d'un ours, de loups, de hiboux et de chevreuils empaillés.

Me voyant les regarder en montant l'escalier, Hélène m'informa :

— C'est mon père qui a tué tout ça!

— Pourquoi faire?

Elle me lança un regard stupéfait :

— Ton père ne fait donc pas de sport?

— C'est quoi ça, le sport?

Après un moment de réflexion :

— C'est ... eh bien, c'est tuer des bêtes pour s'amuser, et pas parce qu'on a faim. On poursuit les bêtes avec des chiens et on les tue.

— Non, mon père ne fait pas cela.

— Mon père est un tireur d'élite! se vanta Hélène.

Alice et moi partagions une chambre de grandes personnes. Une des fenêtres donnait sur la mer et comportait une banquette ; l'autre, s'ouvrait sur un petit bois de pins. Le manteau de la cheminée était orné de deux ravissants candélabres en porcelaine bleue.

Nous, les enfants, nous prenions le thé dans la nursery. Mme Crane le faisait servir par l'aînée de ses filles, Grace, qui était très snob. Après le thé, nous allions dans le salon.

C'était une pièce magnifique, avec un piano à queue, deux sofas, et un tas de fauteuils où flâner. À la maison, seuls papa et maman avaient droit à des fauteuils, car ils étaient persuadés que des petites filles en pleine croissance devaient s'asseoir sur des chaises à dos droit, en bois ou en rotin. Les fauteuils de Mme Crane, énormes et douillets, étaient recouverts de cotonnade luisante, parsemée de boutons de roses. Mais comme il y avait partout des bols de vraies roses, les roses du chintz ne faisaient pas très bonne figure. Les plus belles de toutes étaient les roses grimpantes qui entraient par les fenêtres ouvertes pour nous embaumer de leur parfum délicieux. Un bon feu brûlait dans l'âtre. Il empêchait la brise marine d'être trop mordante, et celle-ci, en retour, empêchait le feu d'être trop brûlant. Devant la cheminée, on avait étendu un grand tapis de fourrure, sur lequel était allongé un chien brun et blanc.

Quand nous entrons toutes les cinq dans le salon, j'ai d'abord l'impression qu'il est vide, sauf pour le chien. Mais j'aperçois bientôt, émergeant au-dessus et en-dessous d'une énorme pile de journaux, le sommet de la tête et les pieds de M. Crane, assis dans un fauteuil au coin du feu. De l'autre côté de l'âtre, la flamme illumine les mains de Mme Crane, croisées sur ses genoux. Un rideau perlé, suspendu à une tringle en laiton et destiné à protéger ses yeux de la lueur du foyer, cache son visage. D'une main, elle tapote un tabouret qui lui arrive à la hauteur du genou ; Hélène va s'y asseoir. Le giron de Mme Crane paraît profond et infiniment confortable ; pourtant, aucune de ses filles ne s'y assied jamais. Hélène m'explique que sa mère a le cœur faible.

— Pourtant, Hélène, lui dis-je, j'avais toujours cru que ce qui était grand était fort?

Hélène ne saisit évidemment pas ma pensée, n'ayant pas entendu, comme moi, discuter les dames, et ne pouvant pas, par conséquent, être au courant de ce que moi je sais.

Mme Crane demande à sa « chère Gracie » de nous jouer quelque chose au piano. Elle ajoute toujours le mot « chère » en parlant à ses filles, comme si cela faisait partie de leur prénom.

Mary Crane et ma sœur Alice sont toutes deux des enfants timides. Ells s'assoient sur le sofa, leurs poupées dans les bras, et, comme ces dernières, fixent le vide. Mme Crane ne nous laisse jamais habiller ou déshabiller nos poupées dans le salon, sous prétexte, que c'est mal élevé. Je m'appuie sur le bord de ma chaise jusqu'à ce qu'elle bascule, et me retrouve alors assise à la meilleure place de toutes — à côté du chien, sur le tapis de fourrure! Quand j'appuie ma tête sur son flanc, il tape de la queue et un adorable petit frisson le parcourt tout entier. J'avais bien eu l'intention de lutter contre le sommeil — à cause du lit étranger qui m'attendait là-haut — mais le chien et la chaleur du feu sont si réconfortants... Je n'eus pas la moindre idée de la personne à qui pouvait appartenir cette voix lointaine qui me disait : « Allons, les enfants, au lit! » ni de la main qui me secouait.

Le froid de l'étage nous réveilla. Debout, devant la cheminée, allumant les bougies bleues, Mme Crane nous parut immense et toute noire. L'énorme pièce jouait à cache-cache dans tous les coins sombres. La couverture était déjà préparée et nos chemises de nuit étaient étendues sur nos lits, prêtes à être endossées; mais nous ne pouvions que pleurer. Prise au dépourvu, Mme Crane nous dit :

— Vous aimeriez peut-être aller dans la chambre de mes filles pendant qu'elles se déshabillent?

Assises sur leur pouf, nous assistâmes donc au coucher des petites Crane. Elles se brossèrent beaucoup — les cheveux, les ongles, les dents. Elles plièrent leurs vêtements, firent leur prière appuyées sur la poitrine de leur mère et se glissèrent sans bruit dans leurs lits comme des fillettes bien élevées. Mme Crane leur recommanda de se coucher sur le côté droit, de fermer la bouche et de respirer par le nez, puis elle alla ouvrir toutes grandes les fenêtres. Le vent fit aussitôt crépiter les bougies et se glissa entre les baisers de Mme Crane et le front de ses filles. Mme Crane souffla enfin les bougies, doucement, comme si elle eût voulu donner au vent une leçon de politesse...

De retour dans notre chambre, Mme Crane offrit de nous déboutonner. Je me rapprochai vivement d'Alice qui lui dit que nous pouvions le faire nous-mêmes, en nous aidant l'une l'autre.

— Très bien, alors. Je reviendrai tantôt éteindre la bougie.

Nous plongeâmes sous nos couvertures en les rabattant sur nos têtes et ne bougeâmes plus le petit doigt.

Mme Crane vint se tenir un instant à côté de nos deux monticules blancs, puis deux petites tapes, le grincement d'une fenêtre qu'on soulève, des pas feutrés qui s'éloignent dans le couloir...

Deux têtes resurgissent des couvertures.

— Tu n'as pas eu peur qu'elle nous embrasse?

— Affreusement! Ou qu'elle veuille entendre nos prières!

— Les filles Crane sont très religieuses.

— Comment le sais-tu?

— Elles ont dit deux versets de *Now I lay me down to sleep**. Nous, nous n'en savons qu'un.

Alice dormait toujours à poings fermés, et le sommeil lui venait tout de suite. Moi je me tournais et retournais dans mon lit, sans pouvoir dormir jusqu'à ce que tous mes soucis aient bien mariné dans les larmes.

C'est au déjeuner, tandis qu'elle disposait les tasses, que je pus pour la première fois examiner attentivement Mme Crane. Elle se trouvait dans un bon éclairage et était assise beaucoup plus bas que moi. Tout en versant le thé, elle conversait avec son mari d'une voix profonde. Les grands mots très polis s'enroulaient autour de ses dents de sagesse avant de sortir de sa bouche. Ses cheveux, sa peau et sa robe étaient tous bruns comme ses yeux. Son cœur ne pouvait être qu'à la bonne place, tant il était comprimé par son corset et sa robe de lainage, boutonnée de la taille au menton. Ce ne pouvait pas être un cœur bien large, en tout cas. Mme Crane avait aussi des mains fortes et propres, avec de grosses jointures. Plus je l'observais, moins je l'aimais. J'aimais par contre beaucoup de ses choses. Le surtout au milieu de la table de la salle à manger, entre autres. Hélène l'appelait l'« épergne » de sa mère. C'était une sorte de construction en verre et en argent, à deux étages, toujours remplie de fleurs magnifiques : des géraniums d'un blanc immaculé qui vous donnaient envie de les caresser et de les embrasser pour voir s'ils étaient réellement vrais ; de gros bégonias bien dodus et des fuchsias dont les têtes ployaient tant elles étaient lourdes. Les fleurs aimaient Mme Crane et, pour lui plaire, poussaient merveilleusement.

Le jardin de Mme Crane n'était pas aussi soigné que celui de mon père, mais les fleurs s'y amusaient beaucoup et n'avaient pas l'air guindé comme les nôtres. Il faut dire aussi que Mme Crane était très indulgente envers elles. De chaque côté du sentier argileux qui descendait à la mer, elle laissait les fleurs sauvages pousser à leur guise. Elles s'entremêlaient telles des danseuses, les roses et le chèvrefeuille grimpant partout. Le rond-point avant —

---

* Maintenant je vais dormir.

qui se trouvait en réalité derrière la maison — était rempli d'arbres fruitiers et de framboisiers. Le potager se trouvait en avant et les massifs de fleurs en arrière, puisque le devant de la maison était à l'arrière. Il y avait aussi une petite pelouse, où l'on jouait au croquet, et un petit bois de pins que nous voyions de notre chambre. Au milieu de ce bois, sur une grande plate-forme, étaient disposés de nombreux chenils. Les chiens de chasse de M. Crane y étaient enchaînés.

Ces chiens n'avaient pas l'habitude des femmes ou des enfants, et Mme Crane ne les aimait d'ailleurs pas. M. Crane ne permettait pas aux enfants de les toucher, disant que cela les gâterait pour la chasse. Je souhaitais beaucoup m'en approcher, mais Hélène me conseillait de ne pas le faire. Nous n'avions droit qu'au vieux chien que nous avions vu dans le salon, et cela parce qu'il ne valait plus rien pour la chasse.

Hélène me confia :

— J'ai déjà eu un petit chien noir que j'aimais beaucoup, mais papa déclara que c'était un bâtard. Il décida de le tuer et alla chercher son fusil. En voyant l'arme pointée sur lui, mon petit chien fit le beau pour essayer d'attendrir mon père. La balle lui transperça le cœur, mais il continua à faire le beau, comme si ses supplications étaient restées gelées dans ses petites pattes.

— Oh! Hélène, comment ton père a-t-il pu! Pourquoi ta mère ne l'a-t-elle pas empêché?

— Ça lui était bien égal; ce n'était pas son chien.

Chez nous, personne n'aurait eu l'idée de dire à mon père « Ne fais pas cela ». Pas plus que de mettre le nez dans ses affaires. Chez les Crane, c'était différent. Lorsque Hélène m'emmena dans un drôle de petit pavillon construit dans le jardin, en me disant : « Voici l'antre de papa », je me sentis effrayée, et je lui dis : « Nous n'aurions pas dû venir ici, Hélène! »

Ce pavillon ne contenait absolument rien de féminin. On y trouvait des fusils, des cannes à pêche, de hautes bottes pour aller dans l'eau, un bureau couvert de paperasses et d'un tas de gros livres. Hélène déboucha une bouteille de mercure et en versa le contenu sur la table. Il se passa alors quelque chose de tout à fait étonnant : le mercure se divisa en petites boules qui se recollèrent ensuite ensemble ; puis il roula sous la table et on ne parvint pas à le retrouver. À partir de ce moment-là, chaque fois que M. Crane rentrait à la maison, j'étais saisie de terreur à l'idée qu'il puisse poser des questions au sujet du mercure, et parce qu'il avait tué le petit chien qui faisait le beau.

Les petites Crane n'auraient jamais osé toucher aux choses de leur mère.

Nous avions l'impression, Alice et moi, que des années s'étaient écoulées depuis notre départ de la maison. Nous n'avions pourtant ni l'une ni l'autre eu à fêter notre anniversaire, et de fait, nous n'avions passé qu'un seul dimanche chez Mme Crane. Nous avions néanmoins une passion, et c'était Criquet, un poney moucheté qui appartenait aux enfants. On le sellait chaque jour, et nous le montions tour à tour. Les aînées portaient un costume à longue jupe, mais étant donné notre jeune âge, Mme Crane ne trouvait rien d'inconvenant à ce que nous montrions nos jambes. Nos jupons à volants dansaient joyeusement. Hélène se servait du fouet pour que Criquet aille plus vite. Au trot ou au pas, ça m'était bien égal. Ce que j'aimais, c'était de sentir contre mes jambes ses flancs bien chauds. Tout, chez lui, me fascinait : la façon dont il secouait sa crinière et balançait sa queue, ses longs soupirs, ses brusques reniflements, et le délicieux chatouillis de ses lèvres sur votre paume quand vous lui offriez du sucre. Sa seule pensée, quand vous vous endormiez en pleurant, vous était un réconfort.

Mme Crane n'avait pas plus de place dans son cœur pour Criquet que pour les chiens, mais elle sut néanmoins y faire entrer une vieille dame du nom de Mme Miles. Celle-ci était à moitié sourde et n'y voyait guère. Elle portait une coiffe de dentelle et de nombreux châles, et passait ses journées à tricoter, en clignant de l'œil. Elle s'installa chez Mme Crane durant notre séjour. Pour compenser sa quasi-cécité et sa quasi-surdité, Mme Crane lui donnait tout ce qu'elle désirait. Or, pour son petit déjeuner, elle aimait les framboises fraîchement cueillies, ce qui voulait dire que nous les enfants, nous devions nous lever plus tôt que d'habitude pour aller en chercher. Mais Mme Crane voulait tellement consoler Mme Miles d'être vieille, sourde et aveugle que cela ne la gênait même pas de voir nos robes toutes propres trempées de rosée.

Le dimanche après-midi, Mme Miles s'enroulait dans son châle le plus douillet — se cachant le visage, la tête et tout — et bientôt, des ronflements filtraient au travers. M. Crane ronflait lui aussi, son journal à cheval sur sa calvitie naissante. Avec chaque respiration, les feuilles du journal se soulevaient et retombaient sur sa bouche. Mais ils n'arrivaient pas à ronfler tous deux en cadence, ce qui nous donnait le fou rire.

— C'est très mal élevé de rire de ses aînés, mes enfants! grondait Mme Crane.

— Même de leurs ronflements, maman? demandait Hélène.

— Même de leurs ronflements, répondait Mme Crane, en nous refoulant à l'autre bout du salon, où elle nous lisait une histoire ennuyeuse comme la pluie.

Hélène, assise sur le tabouret, au genou de sa mère, et les trois autres fillettes installées sur le sofa, étaient assez à l'aise pour pouvoir fermer les yeux et penser à autre chose ; mais comment dormir, perchée sur un tabouret à trois pattes, placé sous le haut dossier d'un sofa? Avec en plus la frange d'une têtière qui vous chatouille le cou? J'attrapai les petites queues de laine multicolore, et me mis à les tresser — rouge, jaune, noir, rouge, jaune, noir. À la fin de l'histoire, il y avait une jolie petite rangée de nattes qui pendait du dossier.

Le lendemain matin, quand notre petite troupe descendit, Mme Crane nous attendait au bas de l'escalier. Ses dents paraissaient très longues, et le chocolat de ses yeux, rassis. Du palier supérieur, nous devions donner l'impression d'une longue chenille qui la suivait au salon.

Elle savait évidemment que c'était moi, puisqu'elle m'avait elle-même fait asseoir là ; mais elle me fit subir mille agonies, son index devenant de plus en plus long et sa voix de plus en plus profonde à chaque : « Est-ce toi qui as fait cela? » Arrivée à moi, son doigt toucha la têtière et sa voix m'entraîna au fond d'un gouffre.

Dès que j'eus répondu : « Oui, madame Crane », elle m'accusa d'avoir profané le travail des mains de sa chère défunte mère, me dit que c'était le diable qui avait donné l'ordre à mes doigts oisifs d'agir ainsi, que j'étais une vilaine petite espiègle, et que, sitôt après le petit déjeuner, je devrais aller défaire toutes ces tresses.

Ni le retentissement du gong annonçant le déjeuner, ni la voix tonitruante de M. Crane récitant la prière du matin, ni le coussin de cuir, dont l'odeur était si délicieuse quand on y enfonçait le nez, ne parvinrent à couvrir mes affreux sanglots. Je n'arrivais pas à les ravaler et eux, refusaient de laisser passer mon déjeuner. Mme Crane m'excusa enfin, et j'allai m'occuper de la têtière, en regrettant vivement que sa mère ne l'ait pas emportée avec elle au paradis. Mme Miles vint s'asseoir à mes côtés, clignant de l'œil et faisant cliqueter ses aiguilles comme d'habitude.

— S'il vous plaît, madame Crane, pourrions-nous rentrer à la maison ?

— Et rendre votre maman encore plus malade ?.

Ce jour-là, je n'eus même pas envie de monter Criquet.

Après le thé, on alla rendre visite à une amie de Mme Crane. En chaloupe, avec M. Crane qui ramait. La nuit tomba. Sous les ponts il faisait très noir, et au-dessus de nos têtes, les voitures faisaient un bruit d'enfer. Puis on se retrouva pris dans un amas de billes flottantes qui cognaient contre la chaloupe et la faisaient vibrer. Quand M. Crane se leva pour les repousser avec une de ses rames, on faillit chavirer. Hélène et moi étions assises de chaque côté de Mme Crane, à l'arrière. Lorsqu'elle tirait sur l'une des cordes du gouvernail, elle m'enfonçait son coude dans les côtes ; quand elle tirait sur l'autre, c'est Hélène qui prenait le coup.

Le va-et-vient des cordes faisait un bruit de hochet ; le gouvernail couinait. Je me mis bientôt à claquer des dents.

— Arrête cela, Petite ! ordonna Mme Crane.

J'en étais bien incapable. Gelée jusqu'aux os, je ne pouvais que grelotter en fixant l'eau noire.

Mme Crane en conclut que j'avais dû attraper froid. Comme je n'avais rien mangé de la journée, en rentrant, elle me purgea à l'huile de ricin. Je me sentais toute piteuse, surtout quand, une fois couchées, Alice me dit :

— Tu ne pourrais pas te conduire un peu? Tu as agacé Mme Crane toute la journée.

— Je la déteste! Je la déteste! m'écriai-je. Elle a un cœur de cochon!

— C'est honteux de t'entendre! dit Alice. Et sur ce, elle remonta les couvertures sur son épaule et tomba endormie.

Le lendemain matin, il pleuvait; mais, vers midi le soleil se montra timidement, et on nous envoya courir dans l'allée, Hélène et moi.

Tout était tellement à l'envers, chez les Crane, qu'il vous fallait parfois vous tâter la tête pour vous assurer que vous ne vous teniez pas debout dessus. Par exemple, vous étiez libre de faire tout ce que vous vouliez, dans le jardin : grimper aux arbres et vous balancer aux grilles. Ou même marcher sur une plate-bande. Mais il était défendu de jouer avec les animaux dans la cour de l'écurie, ou d'aller, dans le fenil, se laisser tomber dans le foin, ou de prendre un bébé chien dans ses bras. Moi, chaque fois qu'on arrivait au bout de l'allée qui menait à l'écurie, je ne pouvais résister à l'envie d'aller voir Criquet, de regarder ses grands yeux noirs à travers les barreaux et de lui chuchoter de petits riens à l'oreille.

Derrière Criquet, dans la cour, j'aperçus un jour une poule.

— Regarde-la, la pauvre, dis-je à Hélène. Elle a l'air bien mal en point.

— Comment le sais-tu?

— Regarde, elle a les yeux fermés, la tête, la queue et les ailes pendantes. Peut-être est-ce qu'un peu d'huile...?

— Je verserai, si tu la tiens.

On emporta la poule à la nursery. Elle aima bien que je la tienne, mais se mit en colère quand on versa l'huile dans son bec.

Dès qu'elle en eut la gorge pleine, elle s'échappa à tire-d'aile. Je n'avais jamais imaginé qu'une poule puisse voler si haut. Elle renversa divers objets, et se gargarisa avec l'huile ; puis, elle agrippa le haut de la bibliothèque de ses pieds boueux et, afin de pouvoir caqueter à son aise, elle recracha l'huile sur les livres de Mme Crane. Elle nous avait semblé si docile et si malade pourtant. Nous n'en croyions pas nos yeux. Je la surveillais toujours, lorsque j'entendis Hélène susurrer d'une petite voix « Maman ! », comme si on lui avait arraché le mot de la bouche.

J'avais souvent été sous l'impression que Mme Crane pouvait grandir ou rapetisser à volonté. Cette fois, elle emplissait la pièce, ses yeux étaient de braise, sa voix de glace.

— Attrapez-moi cette volaille!

En montant sur une chaise pour tenter de la saisir, je constatai les dégâts effectués sur ma personne par ses pieds boueux et par l'huile. Hélène pouvait se cacher derrière ses longs cheveux ; les miens étaient courts. J'enjambai avec précaution la haïssable bouteille bleue dont le contenu visqueux se répandait petit à petit sur le tapis.

Dans l'allée, je plongeai mon visage brûlant entre les plumes très douces de la poule.

— Chère vieille poule, comme j'aimerais pouvoir me faire toute petite pour me glisser sous ton aile! m'écriai-je.

Mais je dus la poser par terre et retourner seule dans la maison.

Quand j'aperçus Mme Crane à genoux, en train de laver le tapis, ce fut presque comme si j'avais rapetissé de moitié, tellement j'avais honte.

Je m'approchai d'elle :

— Je m'excuse, madame Crane...

Pas de réponse.

Je m'approchai d'avantage :

— J'ai voulu venir en aide à votre poule. Elle va mieux maintenant. Elle avait peut-être seulement besoin qu'on la câline...

Pourquoi ne disait-elle pas quelque chose! Ne me grondait-elle pas ou même ne me donnait-elle pas une bonne gifle, au lieu de tout le temps brosser!

Me trouvant au-dessus d'elle, je voyais Mme Crane d'en haut pour la première fois. Je pouvais voir la raie dans ses cheveux, ses épaules voûtées, son large dos, son épaisseur. Peut-être y avait-il en elle assez de place, après tout, pour faire entrer un cœur d'une bonne grosseur.

J'eus soudain envie, étant si près d'elle, de me jeter dans ses bras et de me mettre à pleurer.

Elle se releva d'un mouvement si brusque, qu'elle faillit me renverser. Je fis un pas en arrière. Ses narines frémissaient maintenant. Elle sentait quelque chose.

Elle alla tout droit à l'armoire à poupées, et y disparut à moitié. Quand elle en ressortit, des étoiles de mer étaient suspendues aux doigts de ses deux mains. Nous en avions attrapé Hélène et moi, sous le hangar à bateaux, la semaine précédente, et les avions habillées dans des robes de poupées. Mme Crane établit la plus grande distance entre ses mains et son nez.

— Ma fille n'aurait jamais eu une idée pareille, dit-elle en me regardant sévèrement. Ta mère va maintenant mieux ; on viendra vous chercher ce soir.

En dépit de son nez « déceleur-de-mauvaises-odeurs » et du dégoût qu'elle portait au bout de ses doigts, elle me parut, sur le moment, très belle.

— Oh! madame Crane!

Mes mains se levèrent d'elles-mêmes en tremblant — c'est fou ce que les différentes parties de votre corps aiment agir à leur guise — mais le reste de mon corps les rabaissa aussi vite, avant que Mme Crane n'ait pu s'en apercevoir...

Les groseilles blanches

Cela se passait souvent, et toujours dans le même coin du vieux jardin.

Quand cela allait arriver, vos pieds se mettaient à danser et vous entraînaient là-bas malgré vous. À travers le jardin et le potager, puis tout au long de la rangée de groseilles.

On passait d'abord devant les groseilles noires, au parfum sauvage et capiteux. Ensuite devant les grappes de groseilles écarlates, au goût aigrelet. Le dernier groseillier de tous avait des groseilles blanches. Plus elles étaient mûres, plus elles étaient transparentes. On voyait très bien les petites veines de leur peau, leurs pépins et leur jus. Chaque groseille était suspendue à sa grappe, telle un secret à moitié révélé.

Si seulement elles étaient vraiment transparentes, se disait-on, on pourrait les voir *vivre* en dedans!

Le groseillier blanc marquait la fin du jardin. Il n'y avait ensuite, avant d'arriver à la clôture, qu'un petit espace vide où personne n'allait jamais que pour jeter les détritus du jardin. Là, laissées à l'abandon, poussaient des fleurs à demi sauvages, d'un ton de rose tirant sur le mauve. Leurs feuilles et leurs fleurs n'avaient rien de bien remarquable, car c'est à leur parfum qu'elles consacraient toutes leurs énergies. Dès que vous en approchiez, parfum et couleur vous enveloppaient tout entière.

Les abeilles et les papillons, attirés par ce parfum, venaient de très loin. Les papillons blancs surtout en raffolaient. Ils voletaient par centaines entre les fleurs roses, au bourdonnement constant des abeilles.

Le soleil éclaboussait de lumière les ailes des papillons et aspirait le parfum des fleurs. Tout, alentour, frémissait. Moi aussi, je frémissais parmi les fleurs rose-mauve et les papillons, comme si je faisais partie d'un tout. Et alors... qu'arrivait-il, pensez-vous? Quelqu'un d'autre se trouvait là aussi. Sur un cheval blanc. Et il avait amené un autre cheval blanc, pour moi.

Nous volions ensemble, entre les fleurs rose-mauve, sur nos chevaux blancs. Je n'ai jamais vu ce garçon ; il était là, c'est tout, et je savais son nom. Mais je n'ai jamais su qui le lui avait donné, ni d'où il venait. Il était différent des autres garçons, car vous n'aviez pas besoin de le voir ; c'est pourquoi il m'était si cher. Je ne vis jamais les chevaux non plus ; mais je savais qu'ils étaient là et qu'ils étaient blancs.

Sans jamais nous lasser, nous poursuivions notre ronde. Au-dessus de nos têtes, il y avait des fleurs, avec ici et là des coins de ciel bleu ; au-dessous de nous, une masse rose. Aucune fleur ne semblait tout à fait rattachée au sol ; car on n'en voyait que la tête, et jamais l'endroit où elles pénétraient dans la terre.

Tout allait si vite, que bientôt les ailes des papillons, les fleurs roses, le parfum et le bourdonnement ne formèrent plus quatre entités distinctes mais une seule chose merveilleuse, au milieu de laquelle nous nous trouvions, le petit garçon, les chevaux blancs et moi, tels les pépins que nous devinions à l'intérieur des groseilles blanches. En fait, cette chose merveilleuse ressemblait, si l'on veut, aux groseilles blanches ; c'était comme un secret très précieux qui se serait révélé peu à peu — encore un tout petit instant et...

— Venez cueillir les groseilles blanches! appela une voix de grande personne.

La chose merveilleuse se désintégra. Les abeilles, les papillons, les fleurs rose-mauve et le parfum cessèrent de former un tout et se rassirent à leur quatre places habituelles. Le garçon et les chevaux disparurent.

La grande personne cueillait des haricots. Je pris le bol de verre.

— Si nous laissions les groseilles blanches tranquilles, est-ce qu'elles ne mûriraient pas encore plus? Est-ce qu'elles ne deviendraient pas encore plus transparentes?

— Au contraire, elles se ratatineraient.

— Oh!

Je demandai le nom des fleurs rose-mauve.

— Ce sont des fusées.

— Des fusées?

— Oui, comme dans les feux d'artifice.

Des fusées! Ces magnifiques engins qui jaillissent de terre et explosent dans le ciel...!

Le lys orangé

La pépinière d'Henry Mitchell était située aux limites de la ville. Elle était divisée en longues rangées d'arbres, de buissons et de plantes. Henry et sa femme habitaient un coin de leur propriété, dans un petit cottage gris. Couple d'un certain âge, sans enfants, ils s'efforçaient de ravaler leur nostalgie du Vieux Pays, et de s'acclimater — ainsi que leurs plantes apportées de là-bas — dans leur nouvelle belle-patrie.

Petite arriva ce jour-là dans le jardin de la pépinière en sautillant, gravit les marches du perron quatre à quatre et s'approcha sur la pointe des pieds de la sonnette. Elle tourna résolument le dos à la tentation de coller son nez sur les panneaux de verre de couleur, posés de chaque côté de la porte d'entrée, pour voir arriver Anne Mitchell, triste mais multicolore : visage vert, robe rouge, chevelure bleue. Volte-face qui la plaça nez à nez avec le lys orangé.

Ce lys poussait dans l'angle formé par le devant de la maison et le côté du perron. Petite s'agenouilla sur le plancher raboteux de ce dernier. Elle se pencha pour regarder dans la trompette du lys et palper ses pétales. Ils n'étaient pas gras au toucher comme ceux des lys de Pâques auxquels ils ressemblaient, et n'avaient pas non plus la dureté luisante et lisse de la porcelaine. Ils étaient frais, glissants et vivants.

À l'exemple des sentinelles qui, à l'approche du roi, font rouler sur leurs gonds les grandes portes du palais, le lys ouvrait tout grands ses pétales recourbés. L'entrée de sa trompette était gardée par un groupe d'étamines poudrées de rouille, que son puissant parfum écartait sans peine. Qu'y avait-il au fond ? Pour protéger quel précieux trésor les étamines étaient-elles chargées de monter la garde ? Petite les repoussa du doigt pour mieux voir. La trompette était vide ! aussi vide qu'une église, une fois que le pasteur et les fidèles l'ont quittée, que la musique s'est rendormie dans l'orgue, et que, sur le lutrin, les signets pendent de la bible.

Anne Mitchell vint ouvrir.

— Viens voir mes immortelles, Petite, les fleurs qui ne meurent jamais.

Jetant un regard derrière elle, Petite dit :

— Quel beau lys vous avez là !

— Si l'on veut, mais son odeur est trop forte, et il est trop voyant. Viens voir les immortelles.

La pièce de devant était vide. Par terre, on avait étendu des journaux, sur lesquels séchaient des immortelles, réparties selon leur couleur. Aux fenêtres, des stores blancs filtraient les rayons du soleil. L'air était comme mort et poussiéreux. On se serait cru dans un fenil.

Les fleurs crépitèrent quand Anne les toucha.

— Il y en aura assez pour nos morts, cet hiver, dit-elle avec un joyeux petit soupir. Prenant une fleur rose, elle la piqua dans la dentelle de sa coiffe noire. La fleur retomba sur sa vieille joue flasque, presque aussi rose et aussi désséchée qu'elle.

— Viens vite ! J'oubliais la couronne de Mme Gray !

Elle entraîna Petite dans le salon, où la moitié de la couronne de Mme Gray reposait sur la table. Le chat d'Anne, une pintade infirme et Henry étaient blottis près du feu. Tout comme les funestes immortelles, celui-ci crépitait gaiement.

— Je dois partir, dit Petite au bout d'un moment.

— Laisse-moi d'abord te faire cadeau d'une fleur, insista Anne, en déposant la couronne.

— Êtes-vous bien sûre d'en avoir assez pour Mme Gray? s'enquit Petite.

— Bon. Allons plutôt te cueillir des fleurs dans le jardin.

Le lys orangé! Oh, si seulement elle voulait me donner le lys! Si je pouvais le tenir et le regarder sans jamais devoir m'arrêter!

Anne passa devant le lys orangé. Au-delà poussait la rangée des œillets : blancs, girofle, cannelle.

— Ils sentent le pouding, vous ne trouvez pas? hasarda Petite.

— Penses-tu!

Anne entama à coups de ciseaux les tiges rigides des œillets, privées de sève autant que celles des immortelles. La vie semblait être montée à leurs têtes, car elles s'étaient renversées, face contre terre. En faisant son bouquet, Anne souffla sur les fleurs pour en chasser la poussière. Petite retourna voir le lys. Avec son mouchoir, elle essuya sur les pétales, la rouille qui s'y était déposée lorsqu'elle avait écarté les étamines.

— Vous allez bientôt avoir quatre nouveaux lys, madame Mitchell!

Anne retroussa le coin de son tablier de soie noire.

— Tu t'es tachée avec la rouille du lys, Petite, dit-elle en lui frottant le nez vigoureusement.

Petite rentra chez elle.

— Voici des œillets! dit-elle, en jetant le bouquet sur la table.

Dans son cœur, elle étreignait un lys orangé. Il s'y était brûlé un chemin, mais non pas avec la flamme de ses pétales, ni avec son parfum capiteux. Blanc, muet et sans forme, il brûlait dans son cœur.

Comment Lizzie faillit mourir de honte

Maintenant que j'ai huit ans — l'âge qu'avait Lizzie au moment de la fête — et que je n'ai plus très longtemps à attendre avant d'être une grande personne, je comprends combien j'ai dû faire honte à ma pauvre sœur.

Maintenant je sais pourquoi les Langley — qui étaient si âgés — avaient donné cette fête pour nous, qui étions si petits. Je n'avais que quatre ans, à l'époque, alors je ne m'étais pas posé de questions ; je n'avais même pas remarqué que le petit garçon timide et blond était leur petit frère, un petit frère des années plus jeune que son grand frère et ses deux grandes sœurs. Ils ne lui mettaient pas sa fête sous le nez, non plus, en disant : « C'est ta fête, Albert. Tu te dois d'être aimable et poli avec les petites filles et les petits garçons. » Ça n'aurait pu que le rendre encore plus timide. Ils le laissèrent profiter de sa fête au même titre que les autres enfants.

C'était notre première fête d'enfants. Maman nous avait bichonnées à souhait. Nous avions toutes trois revêtu des robes blanches à volants, très empesées. Lizzie, qui avait huit ans, et Alice, six, portaient de plus des ceinturons bleus et des rubans dans les cheveux. Même moi, qui n'avais que quatre ans, je portais un ruban rose.

Notre sœur Dide était partout à la fois. « Dépêchez-vous, dépêchez-vous! » disait-elle, brossant des ongles et cirant des souliers. Elle fit des nœuds très serrés dans nos rubans pour qu'on ne les perde pas — en tirant les petits cheveux sous nos boucles et en nous faisant nous tortiller et crier : « Aïe! » Elle nous donnait des petites tapes, en nous traitant de tête de linottes. La garniture empesée de nos robes nous grattait les genoux. Dide fit claquer les brides d'élastique blanc sous nos mentons en nous mettant nos chapeaux. Elle dit à maman : « Je me demande combien de temps elles vont rester propres... » Ce n'était pas du tout amusant de se préparer à aller à une fête.

Sur le guéridon du hall, trois paires de gants de coton blanc nous attendaient — semblables aux moufles des trois chatons. Maman nous les répartit, puis elle nous aida à les enfiler, en nous faisant raidir nos doigts. Quand enfin le cab de M. Russell — le seul de toute la ville — s'arrêta devant la porte, nous étions fin prêtes.

Maman nous embrassa. Dide aussi.

— Avez-vous vos mouchoirs?

Oui, nous les avions.

— N'oubliez pas de vous en servir!

Non, nous n'oublierions pas.

— Et n'oubliez pas non plus, à la fin, de remercier Mlle Langley pour une belle fête.

— Et si elle n'était pas belle?

— Vous la remercieriez plus poliment encore.

Nous nous assîmes en rang d'oignons sur la banquette. M. Russell rabattit devant nous le tablier du cab, grimpa sur son siège comme un singe, et en route! — trois petites filles de huit, six et quatre ans, s'en allaient à leur première fête.

C'était très amusant d'être ainsi assises, nous laissant conduire par le cheval, qui semblait si bien savoir où trouver, de lui-même, des fêtes pour les petites filles. Depuis que M. Russell avait grimpé derrière nous pour qu'on ne le voie pas, on oubliait qu'il y avait un cocher.

Lizzie, s'adressant à Alice par-dessus mon chapeau, dit :

— Pourvu que Petite se conduise bien! Tiens... déjà, tu vois?

Elle lui montrait mes gants blancs aux bouts déjà tout noirs d'avoir tâté le rebord et les boutons à l'intérieur du cab.

— Arrête ça vilaine! me cria-t-elle, si fort qu'une petite porte s'ouvrit dans le toit du cab pour laisser passer la tête de M. Russell. Quand il se fut rendu compte que ce n'était qu'un cri d'agacement, il retira sa tête et recouvrit le trou.

Le trajet était assez long jusque chez les Langley. Leur grille ouverte à deux battants, n'ayant jamais pu choisir entre les rues Moss et Fairfield, était à cheval sur le coin. La voiture nous conduisit jusqu'à la porte. Les deux demoiselles Langley et M. Langley y serraient déjà les mains de fillettes et de garçons.

Les trois Langley étaient grands depuis très, très longtemps. Ils avaient de grosses dents luisantes, sur lesquelles ils appuyaient fortement les lèvres jusqu'à ce qu'un sourire les écarte, et alors, on voyait à quel point elles étaient blanches et fortes. Ils avaient les cheveux jaunes, des yeux bleus, et ils devaient se plier en deux pour arriver à atteindre les mains des enfants.

Quand M. Russell souleva le tablier du cab, nous restâmes assises en rang serré comme les trois petits singes (qui ne voient pas, n'entendent pas et ne disent pas de mal).

— Allons, mes p'tites dames, venez vite. Mon joual et mon cab sont pas invités, eux!

M. Russell me souleva du siège, et M. Langley dut faire de même pour mes deux sœurs, car, comme la fête battait déjà son plein, Lizzie était aussi terrifiée que nous. Elle nous prit chacune par la main et nous fit serrer les mains de tous les Langley ; car aussi terrifiée qu'elle puisse être, Lizzie faisait toujours, et nous faisait toujours faire ce qu'il fallait.

C'était une maison toute en largeur, une maison « assise », si l'on peut dire, arrimée au sol par ses vignes et ses autres plantes grimpantes.

Il y avait un grand jardin, planté d'arbres, de buissons, et de gazon. Il y avait aussi des pierres couvertes de lierre.

Pour briser la glace entre les enfants, les Langley nous proposèrent de jouer à cache-cache dans les buissons. Tout le monde se cacha et il ne resta plus personne pour chercher. Chaque enfant voulait tenir la main d'un enfant de sa propre famille. Les garçons étaient intimidés, et les filles, dans leurs robes empesées, faisaient un bruit de crécelle dès qu'elles bougeaient.

Au bout d'un moment, Mlle Langley nous compta.

— Seize, dit-elle. Comme tout le monde est là, nous allons pouvoir partir.

On entendit un bruit de roues dans l'allée. Pensant qu'il s'agissait du cab et que Mlle Langley avait voulu nous signifier l'heure du départ, Lizzie nous entraîna vers elle pour lui réciter ce que maman nous avait recommandé de dire ; mais ce n'était pas M. Russell, après tout. C'était la magnifique voiture toute neuve que M. Winter avait achetée spécialement pour emmener les enfants à la fête et pique-niquer. Il ne semblait pas y avoir de limites au nombre d'enfants qui pouvaient y monter ; il y en avait pourtant, car lorsque ce fut mon tour, il ne restait pas la moindre petite place et je dus m'asseoir sur la poignée de la porte. Les garçons étaient tous perchés sur la banquette avant avec M. Winter, comme autant de moineaux. Les filles — très sages et très polies — étaient assises en arrière. Je m'écriai soudain en pensant à ce qui pourrait m'arriver :

— Si cette portière s'ouvrait, je serais fichue dehors!

— Petite, on ne dit pas « fichue », c'est très mal élevé. On dit « jetée ».

Lizzie était rouge de honte.

On alla jusqu'à Foul Bay, jouer sur la plage. Au bout d'une heure de jeu, Lizzie était toujours aussi propre. Alice presque autant, et moi, bien entendu, j'étais toute froissée. La différence, c'est qu'elles ne s'amusaient pas moitié autant que moi.

On retourna chez les Langley, prendre le thé. Il y avait là toutes sortes de sandwichs, du chocolat, et deux gâteaux — un gâteau ordinaire, aux raisins, et un superbe gâteau à la gelée, avec un glaçage rose.

Assises en face de moi à table, Lizzie et Alice étaient terriblement polies. Elles prenaient de toutes petites bouchées, à la manière des dames, tenaient leur tasse d'une seule main, et disaient merci à tout bout de champ.

Moi, j'avais une grande tasse qu'il me fallait tenir à deux mains. Même de cette façon, elle était très lourde et je la fis déborder.

— Oh, ta jolie robe! me dit Mlle Langley en s'empressant de me mettre un bavoir. En l'attachant, elle tira si fort, sans le vouloir, sur les petits cheveux de ma nuque, que je ne pus réprimer un ou deux petits cris — pas très forts, mais assez pour que Lizzie fronce les sourcils et parle à voix basse à Alice. Elle disait sûrement : « Quel petit cochon! » J'allais lui faire la grimace quand Mlle Langley arriva avec le superbe gâteau rose. J'avais déjà dans mon assiette un morceau de l'autre, mais j'eus si peur qu'elle le voie et passe à la suivante, que je bourrai mes deux joues de gâteau au raisin et levai la main comme font les fillettes en classe quand elles ont besoin de quelque chose.

— Un petit morceau de gâteau à la gelée, ma chérie?

Comme j'avais toujours la bouche pleine, je fis signe que oui. Le front de Lizzie se rida comme le lait lorsque maman l'écrème pour faire du beurre. Elle me signifia du bout des lèvres : « Je vais tout raconter. » Ma bouche étant trop occupée, je lui fis la pire grimace possible avec mes yeux et mon nez. Elle avait tout gâché! Le gâteau à la gelée ne me parut pas du tout aussi bon que je l'avais imaginé.

Dès qu'on eut fini de prendre le thé, Mlle Langley m'enleva mon bavoir et me dit, en me tenant par les deux poignets, les mains en l'air :

— Viens, ma chérie, que je te nettoie un peu.

Elle me débarbouilla très doucement. C'était une très gentille demoiselle, et je lui parlai de ma chatte Tibby. Après m'avoir lavé la figure, elle me donna un baiser.

Je me sentais très importante en allant rejoindre les autres, la main dans la main de la plus grande et de la plus merveilleuse des demoiselles Langley.

Dans le jardin, on jouait à *Presents for shies**. M. Langley avait planté quatre piquets branlants, et placé au sommet de chacun un prix : clochettes, toupies, sifflets. Si vous faisiez tomber un prix en frappant un des piquets, il était à vous. J'avais follement envie d'un sifflet. Quand vint mon tour, mon bâton vola à l'autre bout du jardin. J'avais été tellement sûre de pouvoir faire tomber un sifflet, mais mon bâton n'avait pas voulu m'obéir! Je fis deux autres tentatives, et courus ensuite en hurlant me plonger la tête dans les genoux d'Alice. Elle releva ma tête par le ruban, et étendit un mouchoir sous mon visage afin que je ne tache pas sa robe. Mlle Langley m'entendit pleurer.

— Allons, allons, me dit-elle en me donnant un petit sac d'étamine dans lequel il y avait six bonbons — mais ce n'était pas un sifflet...!

Lizzie se plaignit à Mlle Langley de ce que je lui faisais toujours honte quand nous allions à une fête. Je m'arrêtai net de pleurer et m'écriai : « Je n'ai jamais été à une fête avant! » Je fis alors la pire grimace imaginable à Lizzie, et donnai deux bonbons à Alice, deux à Mlle Langley, j'en gardai deux pour moi, et je jetai le sac vide à Lizzie qui s'en allait tenter sa chance. Je ne sais pas comment j'aurais réagi si elle avait gagné un sifflet, mais quand elle revint les mains vides, je ramassai le sac, y plaçai les deux bonbons que je n'avais pas encore mangés, et le lui donnai.

Clic, clac, ding, ding, le cab de M. Russell remontait l'allée.

Lizzie fonça de nouveau sur Mlle Langley :

— Merci beaucoup, mademoiselle, pour une très belle fête.

Elle toucha Alice du doigt, mais celle-ci ne fit que devenir écarlate. Elle avait complètement oublié ce qu'elle avait à dire. La pauvre Lizzie me chercha alors des yeux, aperçut la tache de gelée, le chocolat, et le devant de ma robe que j'avais sali en allant chercher mon bâton dans les buissons. Elle m'attira vivement à elle, et me couvrit tant bien que mal de sa jupe toujours propre.

Dès que Lizzie cessa de la regarder, Alice recouvra la mémoire :

---

* Des prix pour les lancers.

— Je me suis bien amusée, mademoiselle Langley. Je suis contente d'être venue.

Mlle Langley lui sourit si gentiment que j'arrachai ma main de celle de Lizzie et courus à elle. Sur la pointe des pieds, je levai mon visage aussi haut que je pouvais pour me faire embrasser.

Nous sautâmes toutes trois à bord du cab, et le tablier se rabattit sur nous avec bruit, évitant de justesse nos têtes et nos mains agitées en signe d'adieu. La voiture tourna brusquement sur elle-même. Et la fête disparut.

— Tes gants?

— P...p...erdus.

— Et ton mouchoir?

— P...p...erdu.

Avec son propre mouchoir, Lizzie faillit bien m'arracher le nez.

— Je vais tout raconter à maman : comment tu as dit «fichue», comment tu as demandé du gâteau à la gelée la bouche pleine, et comment tu as dû porter un bavoir et te faire débarbouiller. Et puis, oh! j'oubliais les deux choses que tu as perdues. Tu vas sûrement recevoir une fessée, petit cochon! Tu m'as fait mourir de honte, et tu peux être sûre que jamais, au grand jamais, je ne t'emmènerai à une autre fête!

Un des mes yeux pleurait de fatigue, l'autre de rage.

Alice sortit son mouchoir, son plus beau, un cadeau de Noël encore tout parfumé.

— Tu peux le garder, me chuchota-t-elle, en le glissant dans ma main. Comme ça, il n'y aura plus qu'une chose de perdue.

Le rossignol de Colombie-Britannique

Ma sœur Alice avait deux ans de plus que moi et savait beaucoup de choses. Lizzie avait deux ans de plus qu'Alice et pensait tout savoir. Ma grande, grande sœur savait vraiment tout. Ma mère savait tout de Dieu ; mon père, tout de la terre. Je savais plus de choses que notre bébé, mais quand même, je passais mon temps à me poser des questions.

Il y avait des questions qui partaient d'en dedans de vous, comme un mal d'estomac. D'autres venaient de ce que vous voyiez, sentiez, entendiez ou éprouviez. Les questions chatouillaient vos pensées : venant de nulle part, elles vous entraient dans la tête et se mettaient à tourner en rond jusqu'à ce que vous demandiez à une grande personne d'y répondre, et alors elles cessaient de vous embêter.

Nous jouions dans le jardin, Lizzie, Alice et moi, quand Bong, notre boy chinois, parut dans le sentier — c'est ce qui me permet de situer exactement l'heure à laquelle ce nouveau bruit commença à m'intriguer, car Bong était très ponctuel. Le gland au bout de sa tresse ondula à chaque pas jusqu'à ce que Bong fût arrivé à la grille, et là, quand il tourna pour sortir, le gland lui donna une petite chiquenaude. C'était le signe que l'heure du coucher approchait. Et ce fut juste au moment où l'on cessa d'entendre le bruit traînant des savates chinoises de Bong sur la route, que je remarquai ce nouveau bruit pour la première fois.

Ce ne furent d'abord, en succession rapide, que quelques bruits secs et râpeux, comme si quelqu'un avait appuyé, en courant, un bâton sur une palissade. Les bruits de crécelle allaient de plus en plus vite, et il y en avait de plus en plus, jusqu'à ce qu'on ait l'impression que des millions de bâtons frottaient des millions de clôtures.

— Écoutez! dis-je à mes sœurs. Qu'est-ce que c'est?

Alice déclara ne rien entendre de spécial.

Lizzie me dit :

— Ce ne sont que les bruits du printemps, petite dinde!

Le bruit se faisait entendre ici, là et enfin partout à la fois; puis, brusquement, il s'arrêtait et le silence vous coupait le souffle. Mais bientôt les crécelles recommençaient à crépiter, emplissant le monde du plus bruyant tintamarre que vous ayez jamais entendu — sauf à l'endroit où vous vous trouviez.

Je fus contente lorsque ma sœur passa la tête par la fenêtre et nous appela pour aller au lit. J'avais hâte de rabattre les couvertures sur mes oreilles, pour ne plus entendre ce bruit.

On alla embrasser papa et maman dans le salon. Le feu et la lampe étaient tous deux allumés. Maman cousait; papa leva les yeux par-dessus son journal et dit :

— Entends-tu le rossignol de Colombie-Britannique, maman? Le printemps est arrivé!

— Oui, répondit maman, et ce qu'il peut aimer le printemps dans le marais aux choux puants!

— Allons, venez les enfants! appela notre grande sœur.

À l'étage, notre chambre résonnait du bruit, qui s'y déversait par la lucarne. Quand notre sœur s'en alla avec la bougie, il parut, dans le noir, encore plus fort. J'appelai celle-ci alors qu'elle redescendait l'escalier :

— S'il te plaît, ferme la fenêtre!

— Certainement pas! Petite frileuse, va, ce n'est pas du tout une soirée froide!

— Ce n'est pas à cause du froid. C'est le bruit...

— Le bruit? Ne fais pas la petite sotte. Allons, bon dodo.

Je me rapprochai d'Alice :

— Tu sais ce que c'est, toi, un rossignol?

— Une espèce d'animal.

— Il doit être énorme pour faire tout ce bruit!

— Oui, oui... murmura Alice, déjà à moitié endormie.

Je restai éveillée dans mon lit, essayant d'imaginer, par le bruit qu'il faisait, la taille du rossignol. Notre piano, même lorsque ma sœur Édith tapait dessus de toutes ses forces, n'aurait jamais pu, comme ce bruit-là, emplir la nuit. Notre vache, elle, était plus grosse que le piano, mais même lorsqu'ils lui ont enlevé son veau et qu'elle s'est mise à mugir, avec ses côtes qui sortaient et rentraient, ses beuglements firent seulement le tour de la cour. La voix du rossignol, elle, crépitait à travers les bois et le ciel et partout. La fanfare qui jouait dans le défilé le jour de la fête de la reine disparaissait dès qu'on ne la voyait plus. Mais ce bruit de quelque chose que vous ne voyiez pas du tout emplissait le monde! Même le canon qui tonnait chaque soir sur le coup de neuf heures trente à la base d'Esquimalt — pour que les gens puissent mettre leur montre à l'heure — et qui faisait vibrer toutes les fenêtres de Victoria, se taisait après avoir fait entendre un seul boum géant. Mais le monstre de Beacon Hill, voisin de notre propriété, ne s'arrêtait jamais de crépiter.

Je savais maintenant pourquoi il nous était défendu d'aller cueillir des fleurs, au printemps, au bord du marais de Beacon Hill. Ce n'était pas du tout à cause de la boue, mais parce que ce monstre de rossignol s'y tenait.

Je me promettais bien de ne plus jamais remettre les pieds à Beacon Hill. « Je ne montrerai pas que j'ai peur, mais quand on ira se promener par là, je dirai : Allons plutôt à la plage, on y sera beaucoup mieux! »

Je me disais : « Il vient peut-être dans le parc au printemps pour y faire son nid, comme les oiseaux. Peut-être qu'on pourrait jouer dans le parc l'hiver, quand le monstre sera parti pour le Sud ? »

J'entendis papa glisser le verrou dans la porte d'entrée et les grandes personnes qui montaient l'escalier. Au moment où la flamme des bougies dépassait notre porte, je chuchotai :

— Maman !

Elle vint me voir.

— Pourquoi ne dors-tu pas encore ?

— Maman, c'est comment gros, un rossignol ?

— Les rossignols sont de petits oiseaux, et il n'en existe pas à Victoria.

Des oiseaux ! Et qui n'existent pas à Victoria !

— Mais papa a dit...

— C'était pour rire qu'il a appelé nos petites grenouilles vertes des rossignols ! Allons, fais dodo, ma chérie.

Chères petites grenouilles qui sautez si gentiment... !

Je pouvais maintenant dormir sur mes deux oreilles.

Une question de temps

Mon père était un homme sévère et honnête. Jambes et épaules très droites ; une barbe taillée au carré qui lui barrait la poitrine ; le regard direct, sous d'épais sourcils, traversé parfois d'une lueur de malice — signe qu'il allait se passer quelque chose.

Notre famille tournait autour de mon père comme une toupie sur sa pointe.

C'est dimanche. Papa a découpé la selle de mouton. Tout le monde est servi et papa a tendu son assiette pour qu'on y mette des légumes. L'oncle et la tante Hays sont venus de San Francisco nous rendre visite.

Le pétillement de malice dans les yeux de papa a remonté la table jusqu'à maman, puis est revenu en zigzaguant pour éviter Tatie, occupée à étendre sa serviette sur sa large poitrine, ornée d'une broche à diamants.

— Que dirais-tu d'un pique-nique, samedi, maman? Nous aurons l'omnibus pour aller au *Mill Stream** .

Mes deux grandes sœurs, nous, les trois petites, ainsi que mon petit frère, sommes ravis. Maman rayonne. La tante mange son mouton. L'oncle n'ouvre pas la bouche, comme toujours.

---

* Le ruisseau du moulin.

Pareil au long coussin de notre banc, à l'église, il semble destiné à se faire asseoir dessus.

La semaine se passa à surveiller l'horloge. Elle eut beau tictaquer, ses aiguilles ne bougeaient pas ; elles mettaient des heures à n'avancer que d'une seule minute. Le samedi arriva enfin, et avec lui, à dix heures précises, l'omnibus jaune.

L'oncle y arrangea, dans un coin, un nid de coussins pour la tante. Quand tout fut chargé — les tartes et les gâteaux, enveloppés de serviettes blanches et déposés dans des paniers comme des bébés, et la bouilloire à thé dans son jupon de journal — nous prîmes place, et la voiture démarra en brinquebalant.

L'omnibus était tiré par deux chevaux et les sièges étaient recouverts de moquette. Les roues, cerclées de fer, faisaient un train épouvantable sur les pavés.

Seul notre centre-ville était pavé et arrosé ; au-delà, ce n'étaient que cahots et poussière.

Les sièges du bus étaient très hauts. Comme on s'était rendu compte, mes deux sœurs et moi, qu'on se faisait moins bousculer en ne laissant pas pendre nos jambes, on s'agenouilla sur le siège, accoudées au rebord des fenêtres ouvertes. Jusqu'à ce que, la tante ait ordonné à l'oncle de fermer toutes les fenêtres sauf une, sans quoi la poussière salirait son cache-poussière tout neuf. Après cela, jambes pendantes, on se fit secouer à souhait.

La tante n'arrêta pas de critiquer notre pauvre petit tombereau bleu, surmonté de son baril « qui ne pouvait apporter l'eau qu'au centre-ville », alors que « San Francisco possédait de magnifiques chariots-citernes ».

On franchit enfin une barrière et, après s'être engagé sur une petite route, le bus s'arrêta. Le cocher ouvrit la porte et tout le monde se déversa sur l'herbe, au bord d'un joli ruisseau.

L'oncle construisit un nouveau nid pour la tante, non pas seulement à l'aide de coussins, cette fois, mais aussi avec des branches de pin. Elle regardait l'oncle par-dessus le bord du nid, lui adressant des mots tendres; on aurait dit un gros oiseau ventru.

La nappe fut étendue sur l'herbe, près du nid de la tante. Sitôt le repas terminé, maman nous dit :

— Allez jouer maintenant, les enfants. Mais n'allez pas dans les bois; restez près du ruisseau.

Papa regarda sa montre :

— Il est une heure. Vous avez jusqu'à cinq heures.

En aval, le ruisseau s'élargissait pour inonder une prairie; en amont, il perçait dans la forêt un tunnel vert, aussi tortueux que les ressorts d'un vieux sommier. À cause des rochers, des arbres et des digues qui lui barraient la route, il était en effet forcé de faire de nombreux détours. La forêt en formait les côtés, la voûte des arbres le plafond, et c'est l'eau courante qui lui servait de plancher.

Même en le voulant, il nous aurait été impossible de pénétrer dans les bois, tant ils étaient touffus. Nous n'aurions pu voir où poser le pied, ni apercevoir le moindre coin de ciel.

À chaque coude, le ruisseau changeait de rythme et chantait un air nouveau. Il contournait à toute vitesse une grosse pierre, pour se déverser ensuite en bouillonnant dans un étang aux eaux calmes, où il restait un moment, en faisant semblant d'avoir fini sa course — alors qu'en réalité, il continuait de tourbillonner comme s'il était en train d'appendre à écrire la lettre O. Il se coulait ensuite sur un tronc d'arbre tombé, pour ronronner, doux et rêveur, sur un fond de galets. Nouveau tournant, nouvelle course folle, chute assourdissante dans un bassin rocailleux d'où, mince filet d'eau, il gouttait dans un vaste espace chantant. Forcé de faire toutes ces choses bizarres il devait même, pour franchir certains obstacles, user de force et de rudesse. Mais parfois aussi, ses pierres rondes recouvertes d'une fine mousse brune, le ruisseau coulait tout doucement. Mouillée, cette mousse rappelait des cheveux de bébé. Aussi pouvait-on imaginer que ces pierres étaient des bébés dans leur bain, et que le ruisseau leur arrosait la tête avec une éponge.

Des adiantes pédalés, avec leur cinq doigts, poussaient tout le long de la berge. Il leur arrivait de passer leurs bras minces et noirs par-dessus le bord et de tremper leurs doigts dans l'eau. Mais le vent les relevait bientôt, et mille petites mains s'agitaient alors en l'air. Il y avait toutes sortes de mousses sur la berge : touffues, plates, semblables à de la fougère, frisées, vertes, jaunes, et une mousse albâtre aux pointes tachées de cire à cacheter écarlate.

Dans les moindres creux, les yeux jaunes du mimule musqué vous épiaient. Son arôme était lourd et douceâtre. L'odeur de la terre était capiteuse ; celle des pins et des cèdres, pimentée. Le vent mêlait toutes ces senteurs pour en faire un merveilleux parfum, grâce auquel vous aimiez tout ce qui vous entourait. Les vieux pins étaient si grands que leur sommet était invisible, et les petits, toutes plumes dehors, semblaient sur le point de se mettre à danser. Les branches pendantes des cèdres formaient un abri de chaume si épais et serré que les bêtes pouvaient sûrement s'y réfugier quand il pleuvait sans jamais se faire mouiller. Les broussailles n'atteignaient pas les cèdres, car il y faisait trop sombre et trop sec. Leurs branches les plus basses tournaient au roux-brun, et rien ne poussait dessous.

Le vent remontait le ruisseau en se cognant un peu partout. N'étant pas assez fort pour s'engouffrer hardiment dans le tunnel, il se contentait de frissonner, donnant ici et là aux tertres et aux rochers de petites tapes amicales avant de contourner un autre coude et d'aller rider la surface de l'étang.

Il y avait des tas de choses à voir en remontant le ruisseau, et comme il fallait sans cesse éviter des obstacles, en passant soit en dessus, soit en dessous, nous allions lentement. On apercevait parfois, sur un bout de plage boueux, l'empreinte des sabots d'un chevreuil. Sauf pour le ruisseau, tout était calme et silencieux. Un calme semblable à celui de l'oiseau que l'on tient dans sa main, et dont le cœur bat la chamade.

À tout moment, le cri d'un martin-pêcheur ou les jacasseries d'un écureuil nous faisaient sursauter. Un « floc » entendu à mes pieds me fit découvrir un gros crapaud mordoré. Je le pris dans ma main.

— Pouah! fit une de mes sœurs.

— Tu vas avoir des verrues! m'avertit l'autre.

J'enfermai mon crapaud dans une boîte de conserve vide, lestée d'une pierre, et le cachai sous un chou puant.

Quand notre grande sœur, venue à notre recherche, parut derrière nous, à un tournant, nous nous étions beaucoup éloignées de notre point de départ, en suivant le ruisseau.

— Allons, les enfants, il est de temps de rentrer!

Nous nous regardâmes, sans comprendre. Déjà? Mais nous venions tout juste de partir...

— Ce n'est pas vrai! rétorquai-je, en lui faisant front, effronterie qui me valut une bonne tape sur l'oreille.

Ce n'était pourtant pas les paroles de notre sœur que nous mettions en doute, mais le Temps.

Je traînai en arrière pour récupérer mon crapaud. Que de questions je me posais au sujet du Temps. Qu'était-ce donc, en fin de compte, pour que les choses puissent lui jouer de tels tours? Un ruisseau pouvait comprimer dans une minute tout un après-midi, et une horloge faire durer un an une semaine...

On avait déjà tout rangé dans les paniers. L'oncle bâtissait un nouveau nid pour la tante. Maman, déjà assise dans le bus, avait l'air très fatiguée. Dick dormait sur le siège, la tête appuyée sur les genoux de maman, sa petite montre-jouet à moitié sortie de sa poche.

Je fixai attentivement cette montre. Les aiguilles en étaient au même endroit qu'au moment du départ, le matin. Les jouets, eux, disaient la vérité, bien plus que les vraies choses.

Le bus démarra en cahotant, dans un nuage de poussière. J'étais assise en face de Tatie, une feuille de chou puant posée sur la boîte du crapaud.

— Il va falloir que tu jettes cette feuille, ma chérie, dit la tante, son odeur indispose ta tante.

Bien qu'elle m'ait détesté, elle ajoutait toujours, hypocritement, « ma chérie », en me parlant.

La feuille s'envola par la fenêtre, tandis que je recouvrais la boîte de ma main.

— Qu'as-tu là-dedans, ma chérie ? Laisse voir Tatie.

Je la lui mis sous le nez, dans l'espoir de la terrifier. Avec succès ; elle poussa un cri de perroquet. Ma grande sœur prit la boîte, regarda à l'intérieur et jeta le tout par la fenêtre.

Les heures écoulées se mirent alors brusquement à s'étirer sans fin, comme de la tire. C'est vrai qu'il se faisait tard. Les roues étaient moins bruyantes maintenant parce que nous roulions en ville, sous la grosse horloge de M. Redfern, qui sonnait justement six coups, lentement et tristement.

Papa sortit sa grosse montre en argent, l'oncle, sa montre en or ; et la tante se mit à tripoter la sienne, tout emmêlée dans ses dentelles et ses chaînettes en or.

Tous dirent : « Exactement », refermèrent leurs boîtiers avec un bruit sec et remirent leurs montres dans leurs poches.

Je m'appuyai contre papa et fermai les yeux.

Ces palpitations . . . étaient-ce la montre de papa qui dévore les minutes ? ou bien le hop-hop de mon crapaud doré qui patiemment, sur la route poussiéreuse, retournait à son joli ruisseau où le temps n'existe pas ?

Une petite ville
et une petite fille

Commencements

La petite ville, c'était Victoria, dans l'île de Vancouver, en Colombie-Britannique ; la petite fille, c'était moi.

Il est difficile de se rappeler le moment exact où l'on a pris conscience d'être vivant. C'est comme de regarder une pelouse fraîchement semée ; ici et là, la terre brune se pique de petits points vert pâle. Vous ne les avez ni vus, ni entendus surgir, mais soudain ils sont là, sous vos yeux.

Mon père n'était pas venu directement d'Angleterre à Victoria. À dix-neuf ans, il avait voulu voir le monde. Il visita ainsi de nombreux pays, les évaluant à tour de rôle. Avant d'avoir fixé son choix, il eut vent de la ruée vers l'or et décida de se rendre en Californie. Il trouva ce pays magnifique, mais une fois que la fièvre de l'or s'y fut apaisée, il rentra en Angleterre, épousa une jeune Anglaise, et la ramena en voilier, en faisant le tour du cap Horn, en Californie. Son intention étant de s'y installer, il monta une affaire mais, au bout d'un moment, il ne put supporter de vivre sous un drapeau autre que le sien. Il décida donc de rentrer dans son pays, affréta un navire marchand, et transporta, par la même occasion, la première cargaison de blé californien jamais importée en Angleterre. Tout bon Anglais qu'il fût, le Nouveau Pays lui avait plu infiniment, et il trouva insupportables les restrictions imposées par l'Ancien, qui lui était pourtant apparu, de loin, comme l'image de la perfection. Excédé, il vendit tous ses biens et repartit, avec sa femme et ses deux fillettes, vers le Nouveau Monde. Contournant une fois de plus le cap Horn, ils remontèrent la côte ouest de l'Amérique, ne s'arrêtant, cette fois, que lorsqu'ils eurent atteint la région la plus britannique du Canada tout entier — soit Victoria, ville située dans la partie sud de l'île de Vancouver, alors colonie anglaise.

Mon père y fut comme frappé de stupeur, déchiré entre sa loyauté envers le Vieux Pays et l'attirance qu'exerçait sur lui le Nouveau. Il se rendit compte que les citoyens de Victoria étaient presque tous d'origine anglaise, et il fut ému par leur façon de se vouloir encore plus anglais que les Anglais, pour prouver au monde entier et à eux-mêmes leur loyauté envers leur ancienne patrie.

Il décida de s'établir avec sa famille en Colombie-Britannique. Ma mère et lui avaient choisi de venir au Canada longtemps avant ma naissance — car je suis l'avant-dernière de leurs neuf enfants. Ils avaient eu le temps de se guérir de leur nostalgie de la patrie, de sorte qu'au lieu de n'être qu'anglaise, leur loyauté s'étendait maintenant à l'ensemble de la Grande-Bretagne. Tout comme un petit fort de la Baie d'Hudson, entouré d'une barricade à quatre bastions, le fort Camosun, s'était transformé en la petite ville de Victoria, capitale de la Colombie-Britannique.

Mon père acheta dix arpents de terre, faisant partie de ce qui s'appelait la ferme Beckley. Cette propriété était située à James' Bay et, bien qu'elle ne se trouvât qu'à un mille de la ville, ma mère m'a souvent parlé de sa détresse à l'idée d'aller vivre en forêt. Il n'y avait à proximité qu'une seule autre maison — celle de M. James Bissett, de la Compagnie de la baie d'Hudson, qui y habitait avec sa femme et ses enfants. Ils devaient déménager à l'Est longtemps avant ma naissance, mais adolescente, je pus me rendre compte de l'affection qu'avaient dû éprouver l'une pour l'autre, ces deux pionnières. Des années plus tard, me trouvant en effet à Lachine, j'allai frapper à la porte de Mme Bissett. Je ne l'avais jamais rencontrée, mais lorsque je lui dis : « Madame, je suis Emily, la fille d'Emily Carr », elle me prit dans ses bras et me serra avec effusion.

D'aussi loin que je me souvienne, il n'y eut jamais aucune trace des travaux d'aménagement que mon père avait effectués dans sa propriété. Tout y semblait depuis toujours parfaitement ordonné.

La maison, en séquoia de Californie, était très grande et solidement construite ; le jardin, coquet et bien entretenu. Le tout très anglais. C'était un peu comme si mon père avait enfoui dans cette terre nouvelle son mal du Vieux Pays et que celui-ci, y ayant pris racine, avait donné des fleurs anglaises. On trouvait là des haies d'aubépines, des bordures de primevères, et des prés entourés d'arbustes. Nous avions un verger et une grande remise lambrissée de fer blanc — qui servait à conserver les pommes — des fraisiers, des framboisiers, des groseilliers, issus de plants importés d'Angleterre, et une vigne Isabella, dont mon père était très fier. Nous possédions en outre des poules, des vaches et un cochon, de même qu'un grand potager. Presque tout ce que nous mangions venait de la propriété.

Un seul des champs de mon père était demeuré canadien. C'était un coin de terrain acheté plus tard, une fois que le Canada eut su se faire aimer de ma mère et de lui. Cinquante ans après, nous l'appelions toujours le « nouveau champ ». Une clôture en zigzags, faite de perches de cèdre fendues ou d'arbrisseaux, le cernait. Entrecroisés, ceux-ci étaient tenus en place par leur propre poids, évitant ainsi l'emploi de clous. Ces clôtures occupaient passablement de terrain, et nécessitaient beaucoup de bois, mais ce dernier coûtait moins cher à l'époque que les clous et les charnières. Pour franchir la clôture, on déplaçait une ou deux perches, que l'on replaçait, une fois passé de l'autre côté. Il n'y avait qu'une chose de typiquement anglaise dans notre nouveau champ, un échalier construit par-dessus la clôture.

Une multitude de sapins géants et quelques chênes poussaient dans le nouveau champ. Nettoyé de ses broussailles, le sol était un véritable tapis de lys sauvages canadiens, blancs à long cou, avec des yeux bruns qui regardent la terre — la plus belle et la plus délicate de toutes les fleurs. Les feuilles des lys, vertes et luisantes, étaient mouchetées de brun, et leur parfum semblait un mélange du ciel et de la terre.

James' Bay et le chemin Dallas

Le quartier de James' Bay, où se trouvait la propriété de mon père, était situé au sud de la ville. Quand quelqu'un vous disait qu'il s'en allait à James' Bay, cela voulait dire qu'il allait franchir le pont de bois sur pilotis qui surplombait les bancs de vase de James' Bay. À marée haute, la mer s'engouffrait sous le pont pour aller submerger les bancs. Lorsqu'elle se retirait, en suçant bruyamment la vase autour des pilotis, elle laissait derrière elle une odeur pestilentielle, gênante pour les narines, mais, prétendait-on, excellente pour la santé.

Après que Victoria eut cessé d'être un fort, c'est le quartier de James' Bay qui le premier fut habité. Plusieurs cadres de la Compagnie de la baie d'Hudson y construisirent de belles demeures : Sir James Douglas, M. Alexander Munroe, M. James Bisset, M. James Lawson, le sénateur Macdonald, l'évêque Cridge et le docteur Helmcken.

Le quartier de James' Bay commençait à l'extrémité sud du pont, là où passait la rue Belleville. D'un côté, cette rue contournait les bancs de vase jusqu'à la rue Blanshard, où ils se terminaient ; de l'autre, elle logeait le port, sauf à certains endroits où des obstacles l'empêchaient d'atteindre le bord de l'eau. À l'entrée du port, elle croisait le chemin Dallas, puis faisait un brusque crochet pour suivre, le long du rivage, le détroit de Juan de Fuca. Le quartier de James' Bay formait ainsi une péninsule dont le parc de Beacon Hill marquait les limites. Ce parc était constitué par un magnifique terrain laissé à l'état sauvage, dont Sir James Douglas avait fait don aux citoyens de Victoria.

Beacon Hill était une colline herbeuse, où se dressaient, ici et là, des fourrés de chênes rabougris et des massifs de genêts. Au-delà, le terrain était très boisé. Quand vous montiez sur la colline, vous aviez la preuve que la géographie apprise à l'école avait dit vrai : la terre était bien ronde. Beacon Hill semblait constituer le sommet de la courbe, et tout autour, la terre fuyait en s'estompant dans le lointain. À l'ouest, se dessinaient les collines violettes de Sooke ; au sud, le détroit de Juan de Fuca, sur les rives duquel s'élevaient les monts Olympiques, dont les sommets neigeux jouaient à cache-cache avec les nuages. À l'est, on apercevait la mer et les autres îles. La ville s'étendait au nord, avec pour toile de fond, la colline pourpre de Cedar Hill et les verts côteaux du mont Tolmie. L'été, la brise nous venait des monts Olympiques ; l'hiver, un vent glacial soufflait du nord.

Une piste bien aménagée cernait la base de Beacon Hill, servant à la fois aux courses de chevaux et à la course à pied. Le terrain environnant étant plat, se prêtait aux jeux de cricket et de football, et, à la Fête de la reine, soldats et matelots envahissaient la colline pour y simuler une bataille. Les nuits de printemps, dans la partie marécageuse du parc, les grenouilles coassaient par milliers. On aurait cru entendre les craquellements d'un monde de papier.

Le chemin Dallas avait été la première route aménagée pour la promenade à Victoria. On y venait en voiture, admirer le panorama. Le chemin rasait tantôt le bord des falaises argileuses, et en était tantôt séparé par des églantiers et des bouquets de peupliers. Le vent les poussait si fort vers le nord, alors qu'ils tentaient de toutes leurs forces de pointer vers le sud et le soleil, que ces pauvres arbustes étaient tout tordus. Par endroits, les falaises se couvraient de gazon ou se tachetaient de grandes étendues de jacinthes sauvages et de boutons d'or. Sous le vent, ils paraissent eux aussi fuir la mer. Comment les pétales restaient attachés aux églantines demeurait pour moi un mystère ; pourtant en juin, ils étaient bien plus roses que verts. Jamais, par ailleurs, vos narines, n'avaient respiré rien de plus merveilleux que le parfum de ces fleurs, empreintes d'air salin.

Aux abords d'un bosquet de peupliers s'élevaient, sur le chemin, deux palissades blanches, de la longueur d'un homme. C'étaient les tombes de deux marins, morts de la variole avant que Victoria n'ait eu de cimetière. On les repeignaient régulièrement, mais les noms des deux morts s'y étaient complètement estompés.

Un peu plus loin, toujours le long du chemin Dallas, sur les deux plus hauts sommets des falaises, se dressaient deux canons, dissimulés du côté du détroit par des tertres gazonneux qui étaient en réalité des dépôts de munitions. Situés de chaque côté des canons, ces deux tertres comportaient de lourdes portes en bois cadenassées. Nous, les enfants, nous aurions donné n'importe quoi pour voir ce qui se cachait derrière. Ces canons montaient la garde à l'entrée du port d'Esquimalt, une base navale britannique, située à trois milles de Victoria.

La plupart des longues grèves que surplombait le chemin Dallas étaient formées de galets. Des pointes rocheuses et ébréchées les séparaient les unes des autres ainsi que des criques environnantes. Les plages étaient jonchées de bois flotté — énormes billes battues et meurtries par les vagues jusqu'à ce qu'elles aient perdu toute ressemblance avec un arbre, si ce n'est, chez certaines, leurs gigantesques racines. Entrelacées et dures comme fer, mises à nu et projetées très haut sur la plage par les brisants, celles-ci défiaient obstinément les assauts de la mer, comme pour rappeler aux hommes les obstacles qui se tapissaient sous la surface du sol de l'Ouest canadien. Mais il eût fallu plus que des racines pour décourager ces pionniers ; aussi luttèrent-ils sans relâche pour domestiquer la terre rebelle.

L'eau du détroit était glaciale. On nous permettait, à l'occasion, d'aller nous y baigner en chemise de nuit. Quand vous vous enfonciez dans l'eau, avec votre chemise de nuit qui flottait à la surface, la morsure du froid attaquait votre chair. Au premier plongeon, vous aviez le souffle coupé. Lorsqu'il vous revenait, vos cris d'effroi étaient si forts, qu'ils couvraient les criailleries des mouettes.

Le silence et les pionniers

Il régnait sur nos forêts de l'Ouest un silence si profond, que nos oreilles avaient peine à s'y habituer. Quand vous parliez, votre voix vous revenait comme le fait votre visage lorsque vous vous regardez dans une glace. La forêt était tellement remplie de silence, qu'il ne semblait pas y avoir de place pour le moindre bruit. Prenez les oiseaux ; c'étaient tous des rapaces — aigles, faucons, hiboux — qui n'auraient fait qu'une bouchée d'un oiseau chanteur. Aussi les premiers oiseaux à avoir suivi les pionniers dans l'Ouest, étaient-ils de petits oiseaux silencieux, au plumage terne. Les goélands, eux étaient là depuis toujours ; nés de la mer, ils n'avaient jamais cessé de la survoler, emplissant le ciel de leurs plaintes. Les grands espaces aériens, assoiffés de bruit, lappaient goulûment leurs cris. La forêt était autre — elle planait sur le silence et le mystère.

Quand nous étions enfants, mes parents nous emmenaient parfois au-delà des confins de la ville, à Saanich, Metchosin ou dans le district d'Highland. Nous allions rendre visite à l'un ou l'autre des colons qui, en pleine nature sauvage, peinaient à établir un foyer pour leur famille. «Nos enfants n'auront qu'à continuer, songeaient-ils. Ce sera plus facile pour eux, une fois que tout aura été mis en place.»

D'un bras vigoureux, ils abattaient les arbres géants, se servant de poudre et de sueur humaine pour extirper les monstrueuses racines. Plus ils avançaient dans leurs travaux de défrichage, plus ils chérissaient ces petits coins de terre brune entremêlée de racines, découpés dans la verte immensité. Le pionnier faisait le tour de son champ en indiquant, d'un doigt crochu, calleux, telle ou telle tâche récemment accomplie. Sa femme, de son côté, luttant contre les incommodités de son foyer rustique,imaginait la belle demeure moderne qu'auraient un jour leurs enfants. Ceux-ci, cependant, ne connaîtraient jamais la joie intense consistant à créer quelque chose à partir de rien ; ils ne comprendraient sans doute jamais non plus l'attirance qu'exercent les terres vierges.

Un pionnier, du nom de Scaife, avait creusé, autour de son champ, en forêt, un large fossé. Il venait de labourer et montra fièrement à mon père combien sa terre était belle, presque entièrement débarrassée de souches noircies. Je laissai la main de mon père pour aller cueillir des fleurs sauvages qui poussaient entre les piquets de la clôture en zigzag. Je perdis pied et tombai dans ce fossé, qui était profond et desséché. Ses côtés terreux, pleins de racines coupantes, m'égratignèrent au passage, et je me retrouvai enfouie sous les ronces et les hautes herbes. C'était un de ces endroits secrets, obscurs, où ne filtrait, à travers les ronces en surplomb au-dessus de ma tête, qu'un mince rai de lumière verte — un de ces endroits où se tortillent les couleuvres et où les frelons noirs viennent faire leur nid. Je hurlai de terreur. Un jeune garçon de ferme, Willie Scaife, sauta dans le fossé et m'en extirpa. Mon premier héros!

Les premiers habitants de Victoria racontaient de magnifiques histoires sur l'époque où la ville était encore un poste de la Baie d'Hudson, le fort Camosun. Entouré d'un solide rempart renforcé de bastions aux quatre coins, ce fort servait à protéger les employés de la Compagnie contre les Indiens et les bêtes sauvages.

Le fort Camosun avait déjà cessé d'exister lorsque mes parents arrivèrent à Victoria, et moi, je ne devais naître que des années plus tard. Pourtant, encore dans mon enfance, il y avait des gens, en pleine force de l'âge, qui avaient vécu dans le vieux fort et pouvaient nous en décrire la vie. Rien ne m'enchantait plus que d'entendre ces histoires «toutes fraîches d'hier», à la place des éternels «Il était une fois»! Vous pouviez poser des questions à ces gens-là, sans qu'ils soient obligés de plisser le front pour tenter de retrouver des souvenirs lointains.

Un couple sans enfants, Mme Lewis et son mari, capitaine de bateau, m'avait prise en affection. Avant son mariage, Mme Lewis s'était appelée Mlle Mary Langford, du nom de son père, le capitaine Langford, un marin. Je n'ai jamais su si les Langford avaient ou non habité le fort, mais ils étaient en tout cas arrivés au tout début de son existence. Le capitaine Langford construisit, à six ou sept milles de la ville, une maison de ferme en rondins. Le quartier prit son nom.

En l'absence de son mari, Mme Lewis m'invitait parfois, pour avoir de la compagnie, à passer quelques jours chez elle. Ils habitaient, rue Belleville, du même côté de James' Bay que nous, une ravissante villa toute fleurie, que survolaient des canaris. Leurs fenêtres donnaient sur le port, de sorte que Mme Lewis pouvait voir entrer et sortir le vieux vapeur à aubes du capitaine, le *Princess Louise*, et faire à son mari, posté sur la dunette, des signes de la main. C'est le capitaine Lewis qui me fit faire mon premier voyage en mer, et, plus tard, lorsqu'on eut construit le chemin de fer jusqu'à Nanaimo, mon premier voyage en train. Quand il vous prenait par la main, vous aviez l'impression d'être guidée par la géographie elle-même (il connaissait tous les endroits). Mme Lewis, elle, était l'histoire. Assise à ses pieds, au milieu de ses chiens et de ses chats, j'écoutais bouche-bée ses récits des premiers temps du fort.

Mme Lewis racontait bien et, de plus, elle était jolie à regarder. Ses yeux brillaient et ses boucles noires, épinglées en couronne très haut sur sa nuque, scandaient ses paroles. Elle me racontait comment les officiers de marine emmenaient parfois la jolie Mlle Langford faire des promenades à cheval, et comment, arrivés à Goldstream et Millstream — deux rivières aux eaux turbulentes et aux berges escarpées que croisaient les pistes de Langford — les garçons bandaient les yeux des chevaux et les faisaient traverser sur des arbres tombés, utilisés en guise de pont. Et comment, un soir, alors qu'ils suivaient une étroite piste de chevreuil en s'empressant de rentrer avant la nuit, ils avaient aperçu un couguar, allongé sur la branche d'un arbre au pied duquel ils devaient passer à la file indienne. Le sous-bois était trop dense pour leur permettre de s'écarter de la piste ; chacun avait donc dû fouetter son cheval et foncer sous le couguar.

Mme Lewis m'avait aussi raconté comment son piano était venu d'Angleterre, en passant par le cap Horn — le tout premier piano de la colonie de Colombie-Britannique. Déchargé au port d'Esquimalt, il avait dû être porté jusqu'à Langford à dos d'Indiens qui se relayaient par groupes de vingt, le long d'une mauvaise sente tracée en forêt. Arrivés à un champ, près de la maison, les Indiens exténués avaient déposé leur lourd fardeau pour prendre le temps de respirer. Sans attendre, les jeunes Langford s'étaient élancées, clef en main, et après l'avoir ouvert, s'étaient mises au piano, là, en plein champ. Abasourdis, les Indiens avaient interrogé le ciel et les bois pour découvrir d'où venaient les sons!

Nourries du souvenir de ces étranges incidents, et de la surexcitation qu'ils avaient créée en sa sœur et en elle — toutes deux à peine déshabituées de leur vie tranquille de jeunes Anglaises — ses histoires jaillissaient si spontanément de la bouche de Mme Lewis qu'elle en perdait presque le souffle.

Parfois aussi, Mme Cridge, Mme Mouat, le docteur Helmcken, ou bien l'une ou l'autre des filles de Sir James Douglas, qui tous y avaient habité, échangeaient des souvenirs du vieux fort. Nous les enviions, imaginant que leurs expériences avaient été excitantes au plus haut point.

« Très excitantes, mes chéries, acquiesçait Mme Cridge, mais n'oubliez pas qu'il y avait aussi des moments difficiles à passer, et que nous devions nous priver d'une foule de choses. »

J'étais encore toute petite lorsque les hommes d'affaires de Victoria affrétèrent le *Princess Louise* et emmenèrent leurs familles faire le tour de l'île de Vancouver, un voyage de dix jours. Mon père et mes deux sœurs étaient de la partie. Moi, on me considérait comme trop petite ; mais je ne le fus certes pas pour boire, à leur retour, chacune de leurs paroles.

Papa avait été très impressionné par la luxuriance de l'île. Profitant d'une escale de trois heures, il était allé avec un compagnon de voyage, tous deux armés d'une hache, voir jusqu'où ils pourraient pénétrer en forêt dans le temps dont ils disposaient. Lorsque la sirène du bateau se fit entendre, ils étaient exténués et trempés de sueur, mais l'attaque acharnée qu'ils avaient menée contre l'épais sous-bois était à peine visible.

Papa nous parla de la magnificence des grands arbres, si proches les uns des autres, de la densité du sous-bois, de l'immensité du silence, et de la présence d'un grand nombre d'aigles à tête blanche. « Ils avaient la tête vraiment blanche, papa ? » Il me répondit qu'ils étaient d'un noir-roux, sauf pour leur tête blanche qui ressortait sur le bleu du ciel et le vert sombre de la forêt. De grands hiboux blancs volaient entre les arbres, tels des fantômes, et ils avaient aussi aperçu des ours et des baleines.

Une de mes sœurs s'était surtout intéressée aux passagers et s'était fait un tas d'amis. Mon autre sœur me parla des villages indiens, entrevus aux endroits où le bateau avait accosté. Tout ceci me parut beaucoup plus intéressant que ce que pouvaient raconter les gens qui revenaient d'un voyage en Grande-Bretagne, vantant tout ce qu'ils y avaient vu de vénérable ou de magnifique. Le côté sauvage de l'Ouest m'exaltait. Je n'éprouvais nullement le désir d'aller dans les Vieux Pays, voir l'histoire. Ce qui me fascinait, c'était de voir *maintenant* ce qui se passait dans notre Ouest canadien. J'étais heureuse que mes parents aient poursuivi leur périple jusqu'aux confins de l'Ouest et qu'ils aient choisi de s'y établir.

Saloons et guinguettes

On trouvait à Victoria un saloon, et parfois plusieurs, à pratiquement tous les coins de rue. Il y en avait aussi au milieu de chaque pâté de maisons.

J'ai longtemps pensé qu'ils appartenaient à la marine, car on pouvait y voir entrer et sortir, à toute heure, des matelots titubants, en col marin et pantalons à pattes d'éléphant qui leur claquaient sur les talons. Les portes des saloons s'ouvraient et se refermaient sans bruit. Ce n'étaient en réalité que des « portes-tabliers » — qui laissaient voir la tête et les jambes — des portes à deux battants, ressemblant à des jalousies. Elles se refermaient si vite au passage d'un matelot, que vous n'aviez jamais le temps de voir ce qu'il y avait derrière, même lorsque vous vous teniez devant et qu'elles manquaient de vous renverser quand quelqu'un les poussait pour sortir. Il nous était formellement interdit de regarder, en passant, du côté de ces établissements. Les grandes personnes nous disaient, en accélérant le pas et en nous tirant après elles, de regarder plus loin dans la rue — bien qu'il n'y eût absolument rien à y voir.

Cela me donnait une envie folle de savoir ce qui pouvait bien se passer là-dedans. Que voulait-on nous cacher? Et pourquoi était-ce si mal de se tordre le cou pour regarder? On entendait toujours rire et chanter derrières les portes battantes. Que pouvait-on bien y faire?

Il y avait aussi des saloons à tous les trois ou quatre milles, le long des routes carrossables. On les appelait alors des guinguettes. Elles avaient toutes deux portes. Au-dessus de l'une, on pouvait lire : « Parloir », au-dessus de l'autre : « Bar ». C'étaient des endroits très attrayants, avec une véranda et, à toutes les fenêtres, des boîtes remplies de fleurs aux couleurs gaies et d'adiantes pédalés, aux tiges tombantes. Souvent aussi, on y voyait des cages d'oiseaux et d'animaux sauvages. L'hôtel Colonist, dans le parc de Beacon Hill, exhibait un couguar sur sa véranda. Et le Four Mile House, une cage de ratons laveurs. Une autre guinguette avait son ourson, une autre encore, des hiboux.

Un jour de canicule, alors que l'oncle et la tante de San Francisco nous rendaient visite, on alla faire une longue promenade en voiture. Au sommet de la côte Four Mile, l'oncle donna un coup de coude à mon père. Celui-ci fit semblant de ne pas s'en apercevoir, et la voiture, sans s'arrêter devant le bar, descendit jusqu'au bas de la pente. Mon père toucha alors le dos du cocher, lui signifiant d'arrêter ses chevaux. Mon père, l'oncle et le cocher remontèrent la côte, en suant sang et eau, nous laissant assises dans la voiture de louage, sur le bord de la route. On nous permit, à nous les enfants, d'aller cueillir des églantines. Je m'éclipsai derrière la voiture et me mis, à mon tour, à grimper la côte, dans l'intention d'aller voir les ratons laveurs. Ma mère me somma de revenir. La tante marmonna quelque chose au sujet de « la curiosité malsaine des enfants ».

Je dis :

— Je voulais seulement voir les ratons laveurs, ma tante.

— Cueille-moi plutôt quelques fleurs, m'ordonna-t-elle.

Mais quand je les lui apportai, sous prétexte que la poussière qui les poudrait la ferait éternuer, elle les jeta par-dessus la roue.

Le boucher Goodacre avait un abattoir dans le chemin Cadboro Bay. Les bestiaux, transportés par bateau du continent, étaient déchargés devant le magasin de mon père. Ils étaient ensuite conduits à travers le centre-ville, puis dans la rue du Fort, une rue qui, après avoir été toute droite se mettait, une fois sortie de la ville, à serpenter et à s'entortiller en prenant le nom de chemin Cadboro Bay.

Les troupeaux sauvages de la prairie étaient fous de terreur. Les bêtes beuglaient et se ruaient aveuglément sur les trottoirs, leurs sabots soulevant la poussière jaune. Les femmes se hâtaient de fermer leurs barrières, pour éviter que le bétail n'entre piétiner leur jardin. Tout au long de la rue, on entendait claquer portes et barrières, tandis que chacun rentrait se mettre à l'abri.

J'avais un jour été rendre visite à ma sœur, qui habitait rue du Fort, et je devais rentrer seule, car personne ne pouvait venir me chercher. C'était la première fois que je traversais la ville sans être accompagnée. Devant le saloon Bee Hive, un troupeau de ces bestiaux sauvages déboucha en trombe dans la rue. Avant que je n'aie pu identifier la cause de toute la poussière, des cris et des beuglements, il était pratiquement sur moi. Des hommes armés de longs fouets les houspillaient, des chiens aboyaient, la route semblait onduler de haut en bas, au rythme lent de tous ces dos roux qui se heurtaient dans la poussière. Brusquement, je me sentis soulevée par deux énormes bras noirs, et j'aperçus, collé au mien, un visage également noir — un visage souriant, aux dents très blanches. Nous passâmes les portes battantes à reculons, et je me trouvai enfin à l'intérieur d'un saloon! Le grand Noir m'installa sur le bar, puis le tenancier de l'établissement et lui-même coururent à la fenêtre observer, au-dessus de la verrière verte, le bouillonnement tumultueux des bestiaux. Moi, je ne pouvais qu'entendre leurs beuglements et le bruit de leurs sabots.

Je regardai autour de moi. À mes côtés, il y avait des robinets très luisants, et derrière le long comptoir du bar, des tablettes remplies de bouteilles et de verres étincelants ; placé derrière ces tablettes, un grand miroir donnait l'illusion qu'il y avait deux fois plus de bouteilles et de verres qu'il n'y en avait en réalité, ainsi que deux Noirs, deux barmen, et deux moi! Dans la moitié arrière de cet endroit, on avait disposé des barils et des petites tables de bois ; des chaises à dos arrondi avaient été placées ici et là, leurs pattes calées dans la sciure de bois répandue sur le plancher ; et il y avait partout des crachoirs en laiton reluisants. Une odeur de bière et de sciure de bois vous prenait aux narines. D'après ce que je pouvais voir, il n'y avait rien d'autre ; rien en tout cas qui eût pu donner envie de chanter.

Une fois que le troupeau fut passé, les deux hommes revinrent au bar. Le barman versa du liquide jaune dans un verre et le servit au Noir, qui renversa sa tête en arrière et l'avala d'un seul trait, comme si ça avait été une médecine. Il me déposa ensuite par terre, retint pour moi une des portes battantes, et je me retrouvai dans la poussière flottante et étouffante de la rue du Fort.

Ma grande sœur avait un cœur d'or. Rien ne lui faisait plus plaisir que d'emmener en promenade à la campagne les vieillards, les invalides et les personnes épuisées de fatigue. Elle avait toujours, dans son petit phaéton, quelque malade douillettement installé, en train de prendre l'air. Victoria était entourée de jolies promenades : le chemin Admiral, Burnside, Cadboro Bay, Cedar Hill. Comme la route était aride et poussiéreuse, les hommes arrêtaient de temps en temps pour se désaltérer dans une guinguette ; les chevaux y avaient leur abreuvoir ; les dames restaient sur leur soif. Car il était impensable qu'une femme puisse entrer dans un bar, ne serait-ce que pour demander un verre d'eau.

Mes parents achetèrent un nouveau cheval, appelé Benny. Son ancien maître avait eu l'habitude de s'arrêter à chaque bar rencontré sur sa route. Le cheval les connaissait tous, si bien que profitant des moments d'inattention de ma sœur, occupée à bavarder avec un de ses protégés, il quittait subrepticement sa route et s'arrêtait si net devant le premier bar venu que les dames en perdaient leur coiffe.

Quand elle se rendait compte du manège, ma sœur, rouge de honte et toute contorsionnée sur son siège, donnait un bon coup de fouet à Benny qui, l'oreille basse, repartait au galop. Certaine alors de croiser quelque connaissance et d'être trop énervée pour la saluer, la pauvre avait deux fois plus honte.

Comment circuler en ville

Au-delà des quelques pâtés de maisons où se situaient les magasins, Victoria avait des routes de terre et des trottoirs en bois, d'une, deux ou trois planches, selon l'importance de la rue. Beaucoup de gens possédaient, par ailleurs, des vaches dont le lait servait à leur propre consommation. Quand leur pré était complètement brouté, ils envoyaient leurs vaches paître en bordure des routes, ou bien sur les sommets herbeux des falaises du chemin Dallas. L'hiver, les vaches préféraient toutefois de beaucoup marcher sur les trottoirs en bois plutôt que de se souiller les pattes dans la boue des bas-côtés. Elles mâchonnaient au rythme du tap-tap que faisaient leurs sabots sur les planches. Les dames leur disputaient le droit de passage en les houspillant et en leur ouvrant leur parapluie sous le museau. Les vaches n'en faisaient que mâcher plus fort, sans bouger d'un pouce. C'était invariablement la « dame-femme » et non la « dame-vache » qui devait descendre dans la boue — en se faisant égratigner par les églantiers qui poussaient entre le trottoir et les clôtures — pour arriver à contourner les bovins.

S'ils voulaient éviter que leurs fleurs ne se transforment en lait, les propriétaires n'avaient d'autre solution que de clôturer leurs jardins. La propriété de papa était ainsi solidement protégée, de sorte que nos vaches ne broutaient que dans ses pâturages.

Nos clôtures, peintes en blanc à l'avant de la propriété et goudronnées sur les côtés, zigzaguaient autour de notre champ.

La seule façon de circuler dans la jeune ville de Victoria, c'était sur ses jambes — ou celles d'un cheval. Ceux qui possédaient, un champ, une grange et une vache, en avaient généralement un. Les chevaux étaient toujours attachés, prêts à être attelés. Tous les véhicules étaient typiquement anglais. Les familles avec de jeunes enfants préféraient le cabriolet, dans lequel deux personnes faisaient face au cheval, et les deux autres au cocher. Ces voitures étaient très basses et si lourdes que le cheval avançait en se traînant. Les jantes en fer faisaient un tel bruit sur les routes caillouteuses, qu'on pouvait à peine s'entendre parler; surtout lorsque, à ce bruit, s'ajoutaient les grincements de rayons de roues desserrés et desséchés. La seule solution consistait alors à conduire le cabriolet dans le premier cours d'eau et là, à faire avancer et reculer le cheval pour que les roues, en tournant, absorbent le plus possible d'eau et se regonflent. Il fallait cependant faire attention de ne pas s'aventurer trop loin dans l'eau, car vous auriez risqué de noyer le cocher, littéralement assis entre les moyeux, tellement ces voitures étaient basses. Si un enfant tombait sur la route, il ne se faisait pas mal, mais se couvrait seulement de poussière. Le cheval était tellement plus grand que la voiture, qu'il fallait passer les guides dans une sorte de râtelier en fer, placé sur le devant, pour empêcher qu'il ne les entrave d'un coup de queue, empêchant ainsi qu'on le conduise.

Les hommes préféraient conduire le dog-cart, une voiture haute, à deux roues, dans laquelle les passagers, assis dos à dos, entrechoquaient leurs omoplates. Le conducteur était assis plus haut, de l'épaisseur de deux coussins, que les autres passagers. Fouettant son cheval, dominant de sa haute perche les chapeaux des dames, il prenait des airs de conquérant. On voyait aussi sur les routes circuler des buggys américains, munis ou non d'un capot qui se refermait en accordéon, tels ceux des voitures d'enfants.

À Victoria, personne ne semblait pressé. On se promenait en voiture pour le simple plaisir de respirer l'air frais et de contempler de jolis paysages. Il y avait de nombreuses écuries où vous pouviez soit louer un cheval, soit mettre le vôtre en pension. L'odeur du fumier dans toutes les rues était tellement familière que votre nez s'en accommodait aussi bien que de lunettes. On ne trouvait, bien entendu, aucune écurie dans le quartier des merceries, des magasins d'alimentation et des pharmacies. Mais, partout ailleurs, au-dessus de larges portes cochères où il faisait toujours bon et frais, étaient affichés les mots : « Écurie de louage ». De l'intérieur vous parvenaient des bruits de sabots et de mastication, et l'on voyait, à l'extrémité des stalles, construites en deux longues rangées de chaque côté d'une allée couverte de planches, s'agiter des queues de cheval. À proximité des écuries, d'horribles voitures carrées, appelées *hacks*, attendaient le moment d'être mises en service. Ces voitures de louage étaient étouffantes. La ville comptait aussi un cab importé, tout gonflé d'orgueil, et l'énorme voiture de pique-nique de M. Winter, capable de contenir autant d'enfants que « la chaussure de la Vieille Femme* ». Lorsque son siège arrière, large et circulaire, débordait d'enfants, et que d'autres s'empilaient autour de M. Winter sur son haut perchoir de cocher, tous criant à tue-tête, avec le bruit assourdissant des roues qui soulevaient des nuages de poussière jaune, on aurait cru voir et entendre un essaim d'abeilles. Par ailleurs, pour les sorties importantes comme les pique-niques de l'école du dimanche ou différentes excursions, on utilisait des omnibus jaunes. Ceux-ci avaient deux rangées de fenêtres, de longs sièges en bois sans le moindre rembourrage — le seul élément de confort étant un bout de tapis allant du cocher à la porte. Pour ainsi dire sans ressorts, ces bus étaient si bruyants que vous n'entendiez même pas vos plaintes lorsque les cahots vous en arrachaient.

Les garçons livreurs des bouchers et des boulangers de Victoria apportaient la viande et le pain aux clients à dos de cheval, dans de grands paniers d'osier appuyés sur leurs hanches. Dès qu'ils avaient un pied à l'étrier, l'autre jambe volant au-dessus du cheval lancé au galop, ils criaient : « Giddap! » Leurs hanches tenant en équilibre des paniers aussi lourds, ils auraient normalement dûs être déformés, en grandissant ; ils poussaient au contrai-

* Personnage d'une comptine anglaise.

re droits et forts. J'ai longtemps souhaité être un de ces garçons livreurs pour chevaucher ma monture et fendre l'air en criant « Giddap ! » ; mais j'aurais tout de même préféré que mes paniers soient remplis de pain plutôt que de viande.

C'est à l'âge de douze ans que je me suis rendu compte, pour la première fois, de la lenteur des gens de ma ville natale. Je relevais d'une typhoïde, et une amie de ma mère, dont les deux fillettes avaient été victimes de la même épidémie, m'invita à les accompagner toutes trois à Puget Sound. C'était ma première visite à une ville américaine, et tout allait tellement vite, que j'en eus le vertige. J'entendis des Américains remarquer, en riant : « Lent comme un Canadien » et appeler Victoria : « Cette ville endormie. »

Un homme dit à un autre :

— J'ai traversé la frontière, cet été.

— Ah oui ? Et comment est-ce, Victoria ?

— Endormi au possible ! À chaque porte, il y avait un écriteau disant : « Parti déjeuner. De retour dans deux heures. »

Je prenais conscience pour la première fois de notre lenteur.

San Francisco était la plus grande et la plus importante ville de la côte du Pacifique. Le voyage, le long des rives accidentées, fut terrible. Le petit vapeur sautillait sur les vagues comme un bouchon. Les gens de Victoria ne se rendaient à San Francisco que pour des raisons importantes — une grave opération, ou un changement d'air complet, c'est-à-dire lorsqu'il y allait de leur survie. Alors, ils levaient le nez, en disant : « Je vais outre-frontière » ou « de l'autre côté », comme s'il s'agissait d'un côté inférieur, audessous de la terre. Mais, si l'opération qu'ils avaient à subir était trop délicate pour être confiée à un de nos chirurgiens — plutôt que de faire l'aller et retour en Angleterre, en passant par le cap Horn et risquer de mourir en route ou de recouvrer la santé et d'oublier pourquoi ils devaient subir une opération — alors seulement ils permettaient à un chirurgien de San Francisco de les opérer.

De temps en temps, les Américains nous faisaient une visite éclair pour se faire une opinion sur les Canadiens et la Colombie-Britannique — un peu comme s'ils étaient venus dénicher des antiquités. Ils trouvaient les Anglais et les Canadiens aussi lents et stupides que nous pouvions les trouver pressés et superficiels, avec leurs marchandises à bon marché qui se déglingaient en un rien de temps. Nous préférions de beaucoup attendre que nos commandes nous arrivent d'Angleterre, en passant par le cap Horn, plutôt que d'acheter leurs produits. Attitude qui agaçait forcément les fabricants américains.

Notre tante de San Francisco nous envoyait de temps en temps des poupées américaines qui, en toute honnêteté étaient plus jolies que nos poupées anglaises. Elle nous fit d'abord cadeau de poupées en cire ; elles fondirent, hélas, au soleil. Au Noël suivant, elle nous envoya des poupées en biscuit. Ravissantes, elles étaient malheureusement trop fragiles pour qu'on puisse les serrer sur nos cœurs ; rien qu'en les embrassant, elles se fendillaient. Nous retournâmes donc à nos bonnes vieilles poupées anglaises en bois et en porcelaine. Bien qu'elles soient moins jolies et qu'elles aient mis beaucoup de temps pour nous parvenir, après avoir fait le long voyage par le cap Horn, elles étaient robustes et capables de subir sans défaillance nos brûlants témoignages d'affection.

Le magasin de papa

La ville de Victoria ressemblait à une vache allongée qui rumine. Elle avait fait, pour se mettre sur pied, un immense effort, passant d'un petit fort de la Baie d'Hudson à une petite ville, puis elle avait décidé d'en rester là. Depuis, n'osant brouter l'herbe du Nouveau Monde, de peur de perdre la saveur délicieuse des pâturages de l'Ancien auquel elle demeurait si loyalement attachée, elle mâchonnait un reste de foin importé, roulant inlassablement les mâchoires, longtemps après qu'il n'y eut plus rien à mâcher.

La rue principale de la ville était la rue Government. La rue du Fort la croisait, formant un carrefour où se trouvaient groupés la plupart des magasins. Quelques boutiques, plusieurs écuries de louage et un grand nombre de saloons étaient disséminés dans les rues Yates, View et Broad. La rue Bastion abritait le palais de justice et la prison. Au bas de la rue Wharf, sur le port, s'alignaient les établissements des grossistes. Chinatown* était délimité par les rues Fisgard, Cormorant et Johnson. À l'extrémité de toutes ces rues, s'élevaient des demeures entourées de jardins et de potagers.

Le reste de la ville avait poussé à la diable. C'étaient les vaches qui avaient effectué le tracé de toute la partie située au-delà

---

* Le quartier chinois.

des grandes rues. Les gens suivaient les sentiers de boue durcie par leurs sabots, au cours de leurs pérégrinations.

Les terres que s'approprièrent les premiers colons avaient été de formes et de tailles diverses ; les rues et les ruelles qui les traversaient avaient été ouvertes par les propriétaires pour satisfaire aux exigences du moment.

Mon père avait un commerce de gros. Il importait des provisions, du vin et des cigares. Son magasin était situé, comme ceux des autres grossistes, dans la rue Wharf*. Cette partie de la rue n'avait qu'un côté. Devant le magasin de mon père, après avoir creusé un énorme trou dans ce qui avait été l'escarpement de la rive, on avait construit des quais et des hangars. Au-delà, sur la rive d'en face, on apercevait la réserve des Indiens Songhees. D'un côté du trou, se trouvait le magasin de la Compagnie de la baie d'Hudson, une bâtisse en brique rouge, longue et basse, avec une véranda. Les Indiens traversaient le port en canot pour venir se ravitailler chez mon père. Accroupis sur la véranda, ils discutaient de leurs achats, ou bien, pieds nus, ils se promenaient à pas assourdis sur les trottoirs de bois de la rue Wharf. Les femmes portaient des robes aux imprimés voyants, des châles écossais et, sur leur tête, des mouchoirs de couleur vive.

Un employé de mon père vida un jour caisse sur caisse de magnifiques raisins secs de Malaga dans les châles et les mouchoirs déployés. Mains tendues, au comble de l'excitation, les Indiens les avalaient goulument, en poussant de petits grognements de satisfaction.

— Pourquoi donnes-tu tous ces raisins secs aux Indiens? demandai-je à papa.

— Ils sont remplis d'asticots, mais ça ne les dérange pas ; ils les aiment quand même, comme tu vois.

De l'autre côté du trou de la rue Wharf, au bord de l'eau, se dressait l'édifice de la douane, bâtiment de brique rouge, haut et carré, à trois étages. On y accédait par un grand escalier, dont le

---

* La rue des docks.

bas s'élargissait en éventail, et sous lequel la porte des Gregory était dissimulée.

M. Gregory, un jardinier venu d'Angleterre, servait de concierge à la douane, avec sa femme. Celle-ci, en plus d'être malade, souffrait affreusement du mal du pays. Sous leur fenêtres, à l'abri d'un mur de brique, se trouvait un charmant petit jardin. Ma mère nous faisait porter différentes choses à Mme Gregory et, en échange, celle-ci nous offrait de magnifiques bouquets. Le sous-sol de la douane, où habitaient les Gregory, était traversé, d'un bout à l'autre, par un large couloir qui allait de l'avant à l'arrière de l'édifice. Le vent s'y engouffrait par l'embrasure d'une grande porte donnant sur le port. Furieux de ce que la porte des Gregory, sous l'escalier, ne soit pas assez grande pour le laisser s'échapper d'un seul souffle, il cognait en hurlant à toutes les portes du couloir. Les vagues, de leur côté, y déferlaient, ce qui me laissait supposer que les bateaux eux aussi y entraient pour passer la douane. Au moindre prétexte, je suppliais ma mère de me laisser aller rendre visite à Mme Gregory, dans l'espoir de voir un jour un voilier s'engager dans le couloir. Mais la marée n'était hélas jamais assez haute pour y lancer un navire. Un jour, pourtant, je crus que le but allait être atteint. Mais dès la deuxième vague, Mme Gregory s'empressa de refermer et de barrer les battants de la grande porte du couloir.

Le magasin de papa était sombre et profond. Caisses et barils s'y entassaient jusqu'au plafond, traversés seulement par un étroit passage menant à « la cour » — en réalité pas une cour du tout, mais une remise remplie de caisses vides et de chats. Il n'y avait aucune fenêtre. Leurs yeux brillant dans la pénombre, les chats faisaient la chasse aux rats entre les caisses. La lumière du jour s'infiltrait en minces rais entre les planches et, sur les murs, un bec de gaz crépitait, dessinant des ombres. L'endroit avait un aspect irréel — très différent de l'intérieur du magasin, chaleureux et bourré de provisions — à vous donner la chair de poule.

Papa avait des chats de toutes les couleurs. Il leur apportait de la maison, chaque matin, une bouteille de lait bien frais, car, disait-il, ce n'était pas sain pour des chats de ne manger que du rat. La seule de ces bêtes qui ait été vraiment racée et domestiquée venait s'asseoir près du poêle, dans le bureau de mon père. Tous les autres n'étaient que des chats de gouttière.

Le bureau de papa se situait à côté de l'entrée de son magasin dont toute la façade était ouverte. Il s'y asseyait à une grande table carrée, recouverte d'un tapis vert. Devant lui, sur la table, il y avait une armoire à tiroirs et à casiers multiples. Son fauteuil était en osier, à dossier élevé. La barbe de papa était blanche et, une fois devenu chauve, il portait une calotte noire. Un poêle, généralement chauffé à blanc, dressait sa forme ventrue entre la table de papa et le grand secrétaire où ses employés, debout ou perchés sur de hauts tabourets, faisaient la comptabilité quand ils n'étaient pas occupés à transporter des caisses sur des chariots. Dans un coin du bureau, il y avait, de plus, un coffre-fort, sur lequel s'empilaient des formulaires imprimés, et deux chaises jaunes destinées aux clients de mon père quand ils inscrivaient leurs commandes dans son livre. Chez mon père, on ne vendait jamais les choses par petites pincées, dans des sacs en papier, mais seulement à la douzaine. Sur quatre grandes tablettes placées en haut du mur, s'alignaient des bocaux d'échantillons de bonbons anglais. Purs, sains et anglais, les étiquettes en faisaient foi.

Les nouveaux voisins

Si mes souvenirs sont exacts, il y avait au début, dans le quartirer de James' Bay, abondance de champs et de terrains boisés ; mais peu à peu, on se mit à construire des maisons de plus en plus près de la nôtre, et à lotir les terrains environnants. Je me rappelle mon désarroi en apprenant que l'évêque Cridge avait vendu son grand champ inculte, en face de chez nous. Sa maison, agrémentée d'un verger et de deux autres champs, était située au-delà de ceux-ci, dans un petit bois. L'allée pour s'y rendre, décrivait une jolie courbe. Elle était bordée entièrement de lauriers et de petits rosiers jaunes. Mes jeunes sœurs et moi jouions à la maman avec les trois fillettes de l'évêque, dans son champ inculte. Étant la plus jeune des six, on ne me laissait jamais être la mère — je devais toujours tenir le rôle du méchant enfant, tandis que les « mamans » me gavaient de groseilles vertes, très sures.

La maison de l'évêque avait été construite quelque temps après celle de mon père. Notre rue était très étroite et, dans toute la section comprise entre les rues Toronto et Simcoe, il n'y avait, en tout et pour tout, que sa maison et la nôtre. Mon père avait cédé une importante bande de terrain à la ville, pour lui permettre d'élargir la rue ; à titre de remerciement, celle-ci avait donné son nom à la rue. Sans la ferme laitière de Mme McConnell pour lui barrer la route, la rue Carr aurait rejoint l'avenue Birdcage et, sans le pont de James' Bay, construit pour que les gens puissent passer au-dessus des bancs de vase, l'avenue Birdcage aurait été la rue

Government. Longtemps plus tard, la rue Government devait d'ailleurs les avaler tous les trois — le pont de James' Bay, la rue Carr et l'avenue Birdcage — pour se prolonger jusqu'au chemin Dallas.

Un jour que nous jouions à la maman dans le champ de l'évêque et qu'on me cachait moi, le bébé, dans les broussailles pour me protéger de la bête sauvage qui dévorait les enfants — et qui n'était, en réalité que Colie, la gentille vache de l'évêque — des hommes grimpèrent par-dessus la clôture. Ils dressèrent au bord du chemin des instruments montés sur trépieds, et se mirent à regarder dedans, en plissant les yeux. Ils entrèrent sans ménagements dans notre salon d'aubépines et notre salle à manger de groseilliers, firent voler d'un revers de main les boîtes de conserve qui nous servaient de batterie de cuisine, afin de s'installer sur notre bûche-cuisine, et poussèrent même l'effronterie jusqu'à arracher des piquets de la clôture de l'évêque. On emmena la vache dans un autre enclos, puis des chariots déversèrent des briques et des madriers partout dans le champ. De vraies maisons s'élevèrent bientôt sur nos maisons fictives, des mamans en chair et en os giflèrent de vrais bébés, là où nous nous étions tant amusées, et notre mère nous envoya demander à notre nouvelle voisine si elle n'aimerait pas un peu de thé chaud, en attendant qu'on installe sa cuisinière.

Matrones en visite

Les matrones de Victoria n'aimaient pas faire des visites courtes qu'elles considéraient comme une perte de temps. Elles avaient des familles nombreuses et, comme elles ne pouvaient pas confier leurs jeunes enfants à leurs serviteurs chinois, lorsqu'elles allaient rendre visite à une amie, elles emmenaient leurs enfants, et passaient l'après-midi. Elles se déplaçaient à pied — car à Victoria, à moins de posséder un cheval, il n'y avait pas moyen de faire autrement — le bébé calé dans sa voiture entre les couches, les biberons, le sac de couture et un sac en papier dans lequel avait été soigneusement placée leur coiffe de dentelle. Pour se donner plus de temps, elles déjeunaient tôt, et se mettaient en route sitôt le repas terminé. Ces visites étaient toujours arrangées longtemps d'avance, à condition qu'il fasse beau.

Les dames de Victoria avaient en moyenne six enfants. Lorsque l'une d'elles nous rendait visite avec sa famille, c'était la fille aînée qui poussait la voiture du bébé. La petite troupe passait la barrière et, une fois dans la maison, on commençait par exhiber le bébé, ensuite on le nourrissait et on le couchait. La visiteuse enlevait sa capeline et la remplaçait par sa coiffe. Les enfants partaient faire la connaisance de nos poupées et de nos animaux domestiques, tout en se gavant de fruits cueillis à même nos arbres. Nos visiteuses paraissaient toujours affolées en apprenant les quantités de prunes, de pommes et de poires dévorées par leurs rejetons, alors qu'elles cousaient tranquillement dans le jardin. Ma mère les rassurait de son mieux, et personne d'ailleurs n'en est jamais mort. C'étaient généralement les mêmes familles que ma mère invitait d'année en année à venir passer les longs après-midi d'été.

Ma grande sœur rendait parfois visite à une amie dont les trois cadettes avaient le même âge que mes deux jeunes sœurs et moi-même. Nous jouions ensemble tandis que les dames papotaient dans le salon.

Ces fillettes possédaient tout ce que nous n'avions pas, et tout ce que nous avions, elles ne l'avaient pas. Comme elles vivaient au bord de notre bras de mer, *the Arm*, elles avaient un bateau. Et aussi un poney et un grand chenil de chiens de chasse. Leur mère était sévère, leur père indulgent ; chez nous, c'était le contraire. Notre jardin était impeccable, le leur poussait à l'abandon.

Ces amies habitaient aussi loin de l'autre côté de la ville, que nous, de ce côté-ci. Pour arriver chez elles, il nous fallait franchir deux ponts et traverser toutes sortes d'odeurs. De notre barrière au pont de James' Bay, la route était bordée presque partout d'églantiers au parfum délicieux. Au-delà, à marée basse, nos narines étaient assaillies par la puanteur des bancs de vase, puis, ceux-ci à peine dépassés, par le remugle exotique du quartier chinois. Les relents de l'usine à gaz, qui venait ensuite, s'ils étaient très sains ainsi qu'on le prétendait, n'étaient pas pour autant agréables. Le pont de Rock Bay dégageait d'autres relents de marée basse, quelque peu atténués par la proximité d'une scierie ; l'odeur de la sciure de bois était si délicieuse, en effet, que nous en oubliions nos narines — jusqu'à l'autre extrémité du pont, où se trouvait une tannerie d'où s'échappait, selon moi, la pire odeur de toutes. Non, il y en avait une pire encore, et c'était celle de l'abattoir Parker et de sa porcherie. Mais ils étaient, Dieu merci, à dix milles de notre route, de sorte que nous en étions épargnées.

En certaines occasions, nos amies nous reconduisaient en chaloupe jusqu'au pont de James' Bay. Nous étions alors moins conscientes des mauvaises odeurs et nous nous retrouvions à la maison en un rien de temps.

Autrefois, à Victoria, les gens donnaient des soirées auxquelles étaient conviés parents et enfants. On y jouait à des jeux de société, tels que charades, devinettes et gages. On y faisait également de la musique, soit en groupe ou individuellement, car à peu près tout le monde savait jouer d'un instrument, chanter ou réciter. Même si ce n'était pas parfait, personne ne s'en formalisait, l'idée étant avant tout de se divertir. Ceux qui ne chantaient pas faisaient quelques tours ou racontaient une histoire. Mes deux grandes sœurs allaient parfois aux bals de la marine, mais mon père désapprouvait la conduite des mères de Victoria qui courtisaient les jeunes officiers, dans l'espoir de décrocher des maris à leurs filles. Il était très sévère sur ce point, disant qu'il nous avait construit une belle maison et que nous n'avions qu'à y rester.

Dans la Victoria de jadis, on assistait aussi à ce que l'on appelait des *conversazione*, tenues dans la classe de l'église. Si l'évêque ouvrait, clôturait et bénissait ces réunions, c'était la congrégation qui se chargeait des conversations. La salle était divisée en alcôves, dans lesquelles il y avait des bancs sur trois côtés, le quatrième, servant d'entrée. Ces bancs étaient suffisamment rapprochés pour qu'une dame puisse chuchoter à l'oreille de la dame d'en face. Ceux qui n'avaient pas envie de converser, faisaient ou écoutaient de la musique. Quand le programme avait été entendu au complet et bien bissé, on servait le thé, apporté aux occupants des alcôves par les jeunes filles. Des gens des deux sexes et de tout âge assistaient à ces conversations. Pour avoir droit à tout — la conversation, la musique, le thé et la bénédiction de l'évêque — il ne nous en coûtait que *two bits*, c'est-à-dire vingt-cinq cents.

Les presbytériens tenaient eux aussi des réunions, mais comme elles avaient lieu dans l'église même, les conversations étaient forcément limitées. Le pasteur Reid racontait des histoires du haut de la chaire, la chorale chantait, mais on ne servait pas de thé.

À mesure que la ville grandit, les groupes sociaux devinrent plus restreints, limités aux personnes ayant les mêmes affinités. On s'y montra aussi plus difficile quant à la qualité des interprètes et des divertissements. Victoria, telle une adolescente un peu gauche, attendait impatiemment de devenir grande.

Les serviteurs

Avec leurs grandes familles et leurs jeunes serviteurs chinois, les matrones de Victoria avaient fort à faire. Ces jeunes garçons arrivaient de Chine à l'âge de douze ans. Il fallait beaucoup de patience pour leur apprendre à parler notre langue et à travailler.

Les servantes anglaises qui venaient au Canada n'avaient qu'une idée en tête : se trouver un mari au plus tôt et avoir des enfants qui, eux, ne seraient pas serviteurs, mais maîtres. Elles ne se plaçaient comme domestiques qu'en attendant, et passaient leur temps à maugréer contre les inconvénients de l'Ouest. Il y avait, par ailleurs, une foule de célibataires qui cherchaient à s'établir au Nouveau Monde et qui ne demandaient pas mieux que de trouver une compagne pour les y aider. L'amour comptait pour eux moins que la compétence, et, de leur côté, ces femmes acceptaient volontiers un travail ardu et des privations, grâce auxquels elles espéraient un jour être indépendantes. Les époux tiraient tous deux profit de ce marché et allaient de l'avant, même s'il leur fallait trébucher un peu avant d'accorder leurs pas. Tandis que ces domestiques importées s'affairaient à créer leur propre classe, les matrones de Victoria devaient se contenter de leurs petits Chinois avec leurs nattes, leur mal du pays et leur totale inexpérience. Dans bien des cas, les maîtresses de maison, habituées aux domestiques anglais parfaitement stylés, avaient tout à apprendre sur la tenue d'une maison, avant de pouvoir l'enseigner à leurs jeunes Chinois.

Les Chinois étaient tous vêtus de façon identique : pantalon noir, ample blouse blanche portée par-dessus, chaussettes et tablier blancs, espadrilles à semelle compensée. Tous traînaient les pieds en marchant.

Semblables à des gouttes de pluie coulant sur de la peinture fraîche, les Chinois restaient sur leur quant-à-soi — s'initiant à nos coutumes, gardant les leurs. Leur journée terminée, ils revêtaient une veste noire de même style que leur blouse blanche, laissaient retomber sur le dos leur natte, enroulée autour de leur tête durant le jour, et repartaient dans leur quartier, vivre à la chinoise jusqu'au lendemain matin. Ils n'adoptaient de nos mœurs que ce qui leur permettait de gagner leur vie en argent canadien — un point, c'est tout.

Bong, notre jeune serviteur chinois, n'était pas très beau — il avait le visage marqué par la variole. Mais c'était un brave garçon, et il faisait partie de notre enfance. Quand ma mère l'engagea, à l'âge de douze ans, il ne savait pas un mot d'anglais, n'avait pas la moindre expérience et souffrait du mal du pays. Lorsqu'il n'en pouvait plus, il s'asseyait et fondait en larmes. Ma mère, à ces moments-là, lui donnait une petite tape sur l'épaule, en lui disant, comme s'il avait été un de ses propres enfants : « Allons, Bong, fais le bon garçon. » Il s'essuyait alors les yeux avec sa grande manche, et filait vers la grange, chanter une chanson chinoise à la vache. Celle-ci était d'un grand réconfort. Dès qu'il se mettait à chanter, elle s'arrêtait de ruminer et, couchant ses oreilles, écoutait les mots chinois comme si elle les comprenait. Bong aimait beaucoup la vache.

Bong demeura longtemps à la maison. Nous lui étions tous attachés, c'est-à-dire autant qu'il soit possible de s'attacher à quelqu'un d'aussi réservé. Mais il semblait vraiment aimer mon petit frère. Et lorsqu'il retourna en Chine voir sa mère, il laissa un grand vide dans la cuisine, et un autre dans la cour, des vides étranges, exotiques, qui nous appartenaient sans nous appartenir tout à fait ; car après toutes ces années passées au Canada, à notre service, il n'avait toujours rien de canadien.

Nous avions aussi une Indienne, Mary-la-laveuse*, qui venait faire la lessive tous les lundis. Elle était très douce, toute ridée, et si petite que, pour atteindre sa cuve, il lui fallait monter sur un billot. Son sang indien nous la rendait plus humaine, plus facile à comprendre que le sang chinois de Bong.

La buanderie se trouvait à l'autre bout de la cour. En arrivant, Mary allumait le poêle et accrochait son châle à un clou. Elle portait une robe longue en tissu imprimé rose, avec une jupe large et un corsage boutonné. Son petit corps était tout maigre et couvert de petites bosses. Mary s'habillait comme nous, et non à l'orientale comme Bong. Elle enlevait ensuite le carré de soie noire qui lui couvrait la tête. Ses cheveux noirs, épais, et rassemblés en deux tresses, se dressaient de chaque côté d'une raie médiane qui lui allait du front à la nuque. La tresse de droite était tout à fait indépendante de celle de gauche, jusqu'à ce qu'elles aient toutes deux atteint les omoplates où elles se rejoignaient et, attachées par un bout de ficelle, reposaient sur ses épaules, telle une belle anse, bien solide.

Mary était une merveilleuse laveuse. La mousse de savon lui arrivait aux épaules et, baignées de vapeur, ses rides s'atténuaient, lui donnant l'air presque jeune. De haut en bas, de bas en haut, elle frottait le linge sur la planche à laver, les lèvres serrées, ses yeux bruns fixant le vide. Sa grande bouche pouvait tenir six pinces à linge à la fois. Lorsque nos cordes à linge étaient toutes occupées et que le linge de maman était blanc comme neige, après avoir pris un bon repas à la cuisine, Mary s'enfermait dans la buanderie pour laver ses propres vêtements et les faire sécher rapidement devant le feu. Le moment venu, elle attachait son dollar dans un coin de son mouchoir de soie qu'elle venait de laver et, le sourire aux lèvres, franchissait la barrière.

Mary n'appartenait pas à la tribu des Indiens Songhees. Elle habitait une petite maison à Fairfield.

---

* «Wash Mary», dont Émily Carr parlait déjà dans *Klee Wyck* (publié au CLF, en traduction, dans la même collection).

L'Est et l'Ouest

Les Chinois et les Indiens étaient très présents autrefois à Victoria.

Les Chinois traînaient l'espadrille tout en balançant sur leurs épaules leurs paniers de poissons et de légumes. Ils vendaient leur marchandise sans mot dire. Pieds nus, les Indiens faisaient un bruit assourdi sur les routes de terre. C'était l'homme chinois et la femme indienne qui portaient les fardeaux ; la femme du Chinois était restée en Chine. Bras ballants, l'Indien suivait nonchalamment sa squaw. L'Indienne avait elle-même tressé, avec des racines de cèdre, les paniers suspendus à son dos, retenus sur sa poitrine par une courroie également tressée. Dans certaines tribus, les femmes appuyaient plutôt cette courroie sur le front.

L'Indien s'accroupissait sur le seuil de toutes les portes, pour se reposer. Le Chinois, lui, trottinait sans arrêt, du matin au soir. Il menait une existence frugale et envoyait en Chine toutes les économies accumulées, à la sueur de son front, par ses mains calleuses. L'Indien ne gaspillait pas ses énergies, prenant dans la nature ce qu'elle avait à lui offrir. Lorsqu'il lui arrivait de gagner un peu d'argent, il le dépensait sur-le-champ, dans le premier magasin venu, pour satisfaire un caprice ou un appétit. L'idée de faire des économies ne lui serait jamais venue à l'esprit, car il ne connaissait pas la valeur de l'argent. Seule l'intéressait la satisfaction de ses besoins immédiats. Les Indiens enrichissaient de leur présence insouciante nos sombres paysages. Ils formaient le lien entre la vie primitive et la civilisation. Et, alors que les maraîchers chinois forçaient la terre à produire, afin de gagner le précieux argent qu'ils enverraient en Chine, prenant sans jamais donner en retour, l'Indien laissait la terre accomplir son œuvre, heureux de vivre sans trop se fatiguer.

L'homme blanc arrivait à comprendre plus ou moins la nature infantile de l'Indien ; ils appartenaient tous deux au même hémisphère, après tout. Les Orientaux, par contre, demeuraient un mystère pour lui.

Une tasse de thé

Une famille indienne hala un soir son canot sur le rivage, au bas de la rue Cook. Les Indiens avaient ainsi le droit de dresser leur tente et de passer la nuit sur les plages, le long de la côte, au cours de leurs déplacements.

Cette famille se rendait à Victoria, mais rien ne la pressait ; d'autant que la nuit tombait et que la mer était houleuse. Le canot contenait la famille et toutes ses possessions : l'homme, la femme, leurs trois enfants, un chien, deux chats, une cage à poules, une tente, des couvertures, des ustensiles de cuisine, un attirail de pêche, des vêtements et diverses trouvailles glanées à même la nature ou précieusement recueillies parmi les rebuts de l'homme blanc.

Les Indiens drapèrent leur vieille tente sur une branche de saule qui émergeait de la berge. N'étant pas attachés, les côtés claquaient au vent. Il tombait une pluie fine. Les Indiens lancèrent leurs couvertures sous la tente à toute allure, et l'homme, le chien et les chats entrèrent s'y réfugier.

La mère et les enfants se blottirent autour d'un feu de camp, sur la plage, pour surveiller la marmite en fonte et la boîte de fer blanc où infusait du thé. Bien au chaud sous le châle de sa mère, un enfant dormait. Sans le réveiller, celle-ci étendait de temps en temps le bras pour attiser le feu. L'enfant pesait lourd, et cette journée passée à pagayer avait été longue. Épuisée, en bâillant, la mère s'accota à un tronc d'arbre et, d'un œil habitué à jauger le vent et la mer, contempla la baie. Soudain, elle appela son mari. L'homme, d'une main dolente, souleva un pan de la tente et regarda, en plissant les yeux, vers l'endroit où pointait l'index de sa femme.

Au large, un pêcheur chinois dans un vieux rafiot, se débattait avec sa voile. La barque penchait tellement d'un côté et de l'autre, que la voile était pratiquement couchée sur l'eau. Comment le Chinois réussisait à ne pas tomber par-dessus bord demeurait un mystère.

L'Indien et sa femme abandonnèrent feu et repas, et coururent, en se dandinant gauchement sur les galets, vers leur canot. Après y avoir installé son bébé à l'avant, sous la proue en forme de tête de loup, la femme s'élança vers son mari et l'aida, en ahanant, à mettre à l'eau leur lourde embarcation. Ce fut elle qui, pataugeant dans l'eau glacée, donna la dernière poussée avant de sauter à bord du canot, déjà ballotté par les vagues. Elle encore qui, saisissant son aviron, le dirigea en fendant la vague, tandis que son mari pagayait de toutes ses forces.

Ils aidèrent le Chinois à rentrer sa voile et à se hisser à leur bord. Ils le ramenèrent à terre, sa barque en remorque.

La face du Chinois était un masque verdâtre qu'animait un rictus nerveux, reconnaissant. Il s'installa maladroitement sur une bûche auprès du feu. Les Indiens s'accroupirent autour de leur marmite; le chien et les chats s'approchèrent l'œil brillant. Le père, la mère et les enfants plongèrent tour à tour la louche dans le grand chaudron noir. Le Chinois en fit autant mais, trop intimidé, il ne mangeait que du bout des lèvres. Tous se taisaient. L'on n'entendait que la succion des lèvres aspirant les moules, puis le claquement des coquilles vides sur les galets.

L'Indienne versa du thé dans une tasse en fer blanc qu'elle présenta au Chinois. Le sourire affecté s'effaça du masque oriental. Saluant très bas, le Chinois leva la tasse fumante jusqu'à ses lèvres. Après avoir aspiré dans un bruit de baiser le chaud liquide, il en rinça avec délices chaque petit recoin de sa bouche, et l'avala finalement à grosses gorgées sonores. La femme secoua la tête en signe d'approbation :

— Là! fit-elle en souriant, là!

La cathédrale

La cathédrale Christ Church était sise au sommet de Church Hill*. Cette colline descendait en pente douce vers la ville, du côté nord, mais du côté sud, elle plongeait à pic jusqu'à James' Bay formant des rebords et des coulées, là où l'on s'était servi de dynamite dans la construction de la route.

Sur la pente sud, les Jourand, une famille française, avaient construit une grande pension de famille, appelée Roccabella. C'était un endroit d'une tranquille élégance, qui avait su garder sa clientèle, tout en ne cédant pas, comme d'autres établissements, considérés à présent comme plus luxueux, à certains avantages de la modernisation. Le manque de chauffage central était, par exemple, compensé par de charmants petits foyers individuels et il y avait un magnifique jardin. Les Anglais d'Angleterre appréciaient particulièrement Roccabella. Ils aimaient entendre le son des cloches de la cathédrale, qui passait par leurs fenêtres, et s'asseoir, chacun devant sa propre cheminée, pour contempler, au-delà de James' Bay, le sommets neigeux des monts Olympiques.

La première cathédrale avait été détruite par le feu. Celle dont je me souviens était en bois, et comportait une tour carrée, surmontée d'une croix. À mesure que Victoria grandissait, on ajoutait des ailes à la cathédrale, de sorte qu'elle eut finalement l'air d'une poule en train de couver. Bien que des églises en brique

---

* La Montée de l'église

et en pierre se soient élevées dans les quartiers environnants, la signification, sur le plan national, de la vieille cathédrale en bois, perchée au sommet de sa colline, était telle que comparée aux autres, elle était comme l'étoile au faîte du sapin de Noël; les autres décorations de l'arbre n'étaient, par comparaison, qu'autant de babioles. La cathédrale Christ Church était l'emblème de notre foi nationale. Toute personne d'origine britannique — méthodiste, presbytérienne, catholique ou de toute autre allégeance religieuse, voire agnostique — qu'elle en fût ou non consciente, y était profondément attachée. La cathédrale avait quelque chose de particulièrement anglais, de particulièrement rassurant.

Dans ma famille, nous n'allions pas à la cathédrale. Ma mère, de santé trop fragile pour escalader Church Hill, fréquentait l'église épiscopale réformée, rue Humboldt. (Elle préférait, de toute façon, le service évangélique.)

L'évêque Cridge, de l'Église épiscopale réformée, avait déjà été le doyen de la cathédrale; mais alors que j'étais trop jeune encore pour m'en souvenir, il avait eu avec l'évêque Hill une dispute au sujet d'une vieille question que personne sans doute n'a encore résolue : l'importance relative de l'église « d'en haut » et de l'église « d'en bas ». À la suite de la scission entre les deux églises, les gens « d'en bas » avaient accusé, par dépit, « la grande église d'avoir fait dévaler la pente à la petite église, à coups de pieds ». De ses bancs de vase, la petite église levait vers la grande des yeux sereins, et celle-ci, en retour, austère et nationale, contemplait sévèrement la petite église, du haut de sa grandeur. Quant à eux, les gens de Victoria choisissaient, entre les deux églises, celle qui leur apportait le plus grand réconfort.

Le cimetière

Le premier cimetière dont je me souvienne était situé rue Quadra. Nous l'avions traversé un dimanche matin, en revenant de l'église, et il n'occupait alors que l'espace d'un demi-pâté de maisons. Il était entouré d'une palissade et de grands arbres dont les feuilles avaient le dos argenté. À l'exception de quelques lots pieusement entretenus par les familles des défunts, le cimetière était laissé à l'abandon, les ronces et les orties se chargeant de relier les tombes. Dans cet enchevêtrement de fleurs et de mauvaises herbes, où chevauchaient le sauvage et le cultivé, surnageaient quelques pierres tombales assez belles. Les rares oiseaux natifs de Colombie-Britannique venaient y faire leurs nids.

À l'autre bout du cimetière, les Chinois avaient élevé un grand autel sur lequel ils offraient à leurs morts d'énormes cochons rôtis et des montagnes de gâteaux blancs, qu'on aurait crus faits de pure graisse. Les tombes s'alignaient en rangs d'oignons, marquées par des stèles de bois brut, portant des inscriptions en caractères chinois. Ces tombes étaient aussi semblables que l'avaient été dans la vie — par leurs vêtements, leurs nattes et leurs coutumes — leurs occupants. Mais, tels des légumes en hiver, ces morts n'étaient que temporairement ensevelis. Lorsqu'il y en aurait une accumulation suffisante, leurs ossements retourneraient en Chine.

Une fois que le vieux cimetière de la rue Quadra fut comble, on en ferma les grilles et il retourna à l'état sauvage. Seuls à émerger les broussailles, les plus hauts monuments semblaient nous faire «Chut!» quand nous passions par là, sur le chemin de l'école.

Victoria construisit alors, en dehors de la ville, à Ross Bay, un magnifique cimetière tout neuf. Les funérailles étaient beaucoup plus longues à cette époque. Aussi longtemps qu'ils transportaient le corps, les chevaux devaient aller au pas. Le retour, par contre, s'effectuait au grand trot. Le corbillard de M. Hayward arborait six grands panaches noirs qui ondulaient et se tortillaient sous la brise. Ils faisaient très digne et étaient considérés comme de très bon goût. Le corbillard de M. Storey, le concurrent de M. Hayward, était surmonté, pour sa part, de six machins crépus noirs, dont la forme rappelait celle des mannequins de couturière. Ils étaient affublés de queues laineuses qui pendaient tout autour, s'agitant et fouettant l'air à chaque cahot. On aurait dit six singes trépignant de colère sur le cercueil. Les chapeaux de l'entrepreneur de pompes funèbres, du cocher, des veuves, ainsi que les fouets des voitures et les boutons de porte des maisons où le mort attendait le corbillard, portaient un crêpe. Les chevaux qui tiraient la dépouille étaient noirs, de même que leurs panaches, qui s'agitaient à chaque pas, et la résille ornée de franges funèbres à pompons qui tombaient sur les brancards. Les enfants morts avaient un petit corbillard blanc, tiré par des poneys blancs, à résille et à plumets blancs. Les enterrements devaient toujours être aussi lents et aussi tristes que possible.

Les amis du défunt qui possédaient un cabriolet ou un buggy rejoignaient le cortège ; d'autres venaient en voiture de louage. On ne coupait jamais un cortège funèbre ; les gens s'arrêtaient le long du parcours, en inclinant la tête — les messieurs leur chapeau à la main — pour attendre patiemment qu'il soit passé. On baissait les stores aux fenêtres des maisons donnant sur la rue. À Victoria, tout comme on prenait le temps de vivre, on prenait son temps pour enterrer ses morts.

Les premières tombes du cimetière de Ross Bay paraissaient tristes et éloignées les unes des autres. Un épiscopalien ne pouvait pas en effet reposer aux côtés d'un non-conformiste, ni un catholique à proximité d'un épiscopalien. Les méthodistes, les Chinois, les pauvres destinés à la fosse commune et les incroyants étaient tous ensevelis à différents endroits du cimetière.

Le cimetière était parcouru de grandes allées de gravier. Certaines tombes, entourées de murets, avaient l'aspect de jardins miniatures en fleurs. Pour éviter qu'elles ne disparaissent sous les ronces, le gardien entretenait soigneusement les tombes.

Mais les vagues de Ross Bay, à force de venir s'y briser, entamèrent la rive du cimetière. Comme si elles eussent voulu ravir les cercueils, elles semblaient dire aux morts : « Nous nous occuperons bien mieux de vous que la terre. Et qui que vous soyez, nos goélands pleureront sur vous. En nous se confondent toutes les sectes. »

L'école

Les colons anglais de Victoria mirent au moins une génération et demie à accepter l'idée de l'école publique canadienne, qu'ils s'obstinaient à appeler « l'école libre ». Faisant les dégoûtés devant nos écoles, comme si elles avaient dégagé une mauvaise odeur, ils préféraient envoyer leurs enfants à l'une ou l'autre des académies que dirigeaient de vieilles dames anglaises, aussi désargentées que distinguées. Là, l'éducation était centrée sur la politesse. Ces femmes, venues pour la plupart dans l'espoir de trouver un gagne-pain et, au mieux, un mari, faisaient grand état, au contraire, de « la mission » qui les avait incitées à s'expatrier, mission qui consistait principalement à apprendre aux enfants de parents nés en Angleterre comment ne pas devenir canadiens ; à considérer que toute chose valable venait des ancêtres et n'avait rien à voir avec ce magnifique nouveau pays ; et enfin, à ne pas se laisser contaminer par les mauvaises manières des Canadiens, considérées comme dégradantes. Leurs seules compétences en tant qu'éducatrices — et Dieu sait pourtant combien leurs services étaient coûteux! — leur venaient d'habitudes acquises au cours des générations.

Les jeunes filles dont les pères avaient de la fortune apprenaient donc les bonnes manières anglaises : comment fermer une porte et faire la révérence, quel ton employer selon que l'on s'adresse à quelqu'un de son rang ou à un domestique, écrire d'une jolie écriture une lettre bien tournée, se tenir la tête haute, le ventre rentré, et savoir enfin faire la dégoûtée. Bien que tout cela ait coûté fort cher, les têtes des jeunes filles n'en demeuraient pas moins vides. Quant aux écoles canadiennes, on y enseignait le savoir livresque, en laissant à peu près totalement de côté les bonnes manières.

Mes parents avaient envoyé leurs deux aînées à l'une de ces académies destinées aux jeunes filles de bonne famille. Leurs trois enfants suivants étaient morts avant d'avoir atteint l'âge scolaire. Les quatre derniers, dont j'étais, furent envoyés à l'école publique. Mon père disait qu'on pouvait nous apprendre les bonnes manières à la maison, mais que nous ne serions jamais instruites si nous devions fréquenter les écoles privées de l'Ouest.

Grâce aux fonds fournis par Lady Burdett-Coutts, on construisit plus tard, sur la colline de l'église, une école confessionnelle de jeunes filles, Angela College. C'était un bâtiment de brique rouge, où l'enseignement était très coûteux. Bien que toutes nos amies y soient allées, mon père avait développé de tels préjugés à l'égard des écoles privées, qu'il nous envoya résolument à l'école publique — s'attirant ainsi, on s'en doute, de nombreuses critiques. Nos amies surveillaient nos manières avec inquiétude. Ma mère souffrait de cet état de choses ; mon père éprouvait au contraire un sentiment d'orgueil devant la réussite de tous ses enfants, sauf moi, dans le système canadien. J'ai toujours détesté l'école, à l'exception de mes deux premières années alors que, trop petite pour marcher jusqu'à l'école, je fréquentai la maternelle pour fillettes de Mme Fraser, à deux pas de la maison.

Mme Fraser avait de grandes dents très blanches, des tas de petits chiens, et un frère, Lennie, qui tenait sa maison tandis qu'elle s'occupait de son école. Pour ne pas salir le hall d'entrée de Mme Fraser, nous passions par la cuisine, située dans un appentis. Ce qui nous permettait de piquer au vol quelques frites dans la sauteuse de Lennie. Comme j'eus souvent l'occasion de le constater, le tabouret des cancres était beaucoup plus confortable que les bancs sur lesquels s'asseyaient les bonnes élèves. On aurait d'ailleurs pu croire que ce tabouret m'appartenait...

Ce que j'aimais par-dessus tout, à l'école de Mme Fraser, c'était un livre appartenant à une fillette du nom de Lizzie, et qui s'intitulait *Grimm's Fairy Tales** . À l'heure du déjeuner, nous jouions aux fées, dans un carré de menthe qui se trouvait dans la cour, puis, pour de brefs instants, sous le pupitre de Mme Fraser, pendant que celle-ci était occupée à soigner un de ses chiens malade ou à s'entretenir avec une mère.

Petit à petit, d'autres colons anglais se mirent à envoyer leurs enfants à l'école publique, tant au niveau secondaire que primaire. Et parce que, pour nous permettre d'obtenir des situations au Canada, l'enseignement devait se conformer aux normes établies par le système d'instruction publique, les écoles privées du type de celles des vieilles dames anglaises furent peu à peu appelées à disparaître.

Les familles anglaises qui pouvaient se le permettre envoyaient leurs enfants finir leurs études en Angleterre. Ceux-ci revenaient plus anglais que les Anglais, employant des expressions remplies de préciosité que nous ne comprenions pas toujours. Avec le temps, toutefois, nous devions nous rendre compte qu'ils ne faisaient que se conformer à la mode du jour en Angleterre.

* Les contes de fées de Grimm.

Noël

Il faisait généralement frisquet à Victoria, au temps de Noël, et il y avait presque toujours de la neige. Les semaines précédant la fête étaient employées à coudre et à broder des cadeaux au point de croix : poignées pour tenir les plats chauds, étuis à aiguilles, essuie-plumes et signets. La veille du grand jour, nous allions abattre le sapin de Noël dans la forêt, et nous le ramenions encore tout vivant à la maison. Dans la chaleur ambiante, l'arbre se croyait au printemps et se mettait à répandre sa délicieuse odeur. Nous placions des branchettes de sapin et du houx derrière tous les cadres, sur le manteau de la cheminée, et un peu partout dans la maison.

Les plum-puddings étaient suspendus par la queue du linge dans lequel ils avaient bouilli, sous la tablette du garde-manger. Un mois avant, assises autour de la table du petit déjeuner, nous avions retiré les pépins des raisins secs, tandis qu'on nous lisait une histoire. Avant de les mettre dans les moules, de les envelopper et de les immerger dans la grande bassine en cuivre où on les laisserait bouillir durant des heures en répandant dans la maison toutes sortes de bonnes odeurs épicées, chacun donnait aux puddings, par superstition, un petit tour de cuillère. Le jour de Noël, on faisait rebouillir un peu le plus gros des puddings, et on le portait ensuite à table tout flambant de cognac, avec sur le dessus un brin de houx qui crépitait sous la flamme.

La veille de Noël, mon père nous emmenait voir les magasins illuminés pour la période des fêtes. Dans les rues, on avait fixé des sapins à tous les lampadaires : non pas de vieux arbres squelettiques et desséchés, mais de beaux sapins verts, fraîchement coupés. Comme les rues n'étaient pas éclairées, les illuminations étaient d'autant plus spectaculaires. Les vitrines étaient décorées de neige en ouate pailletée. Dans les boutiques de vêtements, les étalages n'avaient rien de particulièrement typique de Noël, si ce n'étaient les manteaux de bébés en flanelle rouge, les manchons et les étoles en poil de lapin. Aux vitrines des pharmacies, d'énormes globes de remèdes rouges, verts et bleus étaient suspendus à des chaînes de laiton. J'aurais beaucoup aimé que quelqu'un tombe suffisamment malade chez nous pour que le docteur Helmcken lui prescrive un de ces magnifiques globes. Il y avait aussi dans les pharmacies des savonnettes de couleur et des parfums très chers dans de beaux flacons. Mais derrière tous ces beaux cadeaux, s'entrevoyaient les affreuses bouteilles d'huile de ricin. Elles étaient comme un avertissement : « Attention, semblaient-elles nous dire, à la gourmandise et au mal de ventre ! » Une horrible dame avait ainsi dit, un jour, à ma mère, qu'elle laissait ses enfants se gaver le jour de Noël, étant donné qu'elle les purgeait ensuite à l'huile de ricin ! M. Hibben, de la papeterie, était beaucoup plus gentil que la dame et le pharmacien. Il cachait tous les manuels scolaires derrière des livres de contes, ouverts aux plus belles images. Et, dans sa vitrine, il avait placé un écriteau en carton rouge, sur lequel il avait tracé avec de l'ouate les mots : « Merry Christmas ! »

C'est toutefois dans les boutiques d'alimentation que l'esprit de Noël était le plus évident. Dans la vitrine de M. Saunders, l'épicier, le père Noël lui-même moulait du café. La roue du moulin était encore plus grande que lui. Il portait une longue barbe, et bougeait la tête et les mains. La roue, en tournant, poussait les grains de café à l'intérieur du moulin, d'où ils ressortaient moulus et répandant un arôme délicieux. Tout autour du père Noël étaient éparpillés des bonbons, des grappes de raisins secs, des noix et des fruits confits, sans compter les cannes de bonbons à la menthe. À côté de la magnifique devanture de M. Saunders, se trouvait celle absolument atroce, de M. Goodacre, le boucher. Tout y était mort et nu : les oies et les dindes qui se balançaient, la tête en bas ; les bœufs, les veaux et les cochons, pendus aux murs à d'énormes crochets ; les agneaux avec des choux de papier de couleur à la place de la tête, des fleurs et des gribouillis incisés dans le gras du dos. Celles des bêtes qui avaient encore leur tête fixaient le vide avec des yeux semblabes à des œufs pochés lorsque le blanc envahit le jaune. Les cochons de lait étaient cependant les plus pitoyables de tous — roses et nus comme des bébés dans leur bain, les joues étirées en un sourire par des pommes rouges qu'on avait introduites de force dans leur bouche sans dents, faites pour téter. Pour absorber les gouttes de sang, le plancher de la boucherie était couvert de sciure de bois. On n'entendait pas le bruit des pas, seulement celui des couteaux qu'on aiguisait, des os que l'on sciait et le boum répété de la balance. Les gens échangeaient des vœux, tout en examinant la viande. Papa félicitait le propriétaire : « Magnifique étalage, mon cher Goodacre, vraiment magnifique ! » Et nous les enfants, nous en profitions, pendant que papa faisait son choix, pour retourner voir le père Noël.

La boutique du vieux Georges, le marchand de volailles, était presque aussi affreuse que celle de M. Goodacre ; seulement, comme elles ne fixaient pas autant le vide, ayant en mourant rabattu leurs paupières, les bêtes n'y paraissaient pas tout à fait aussi mortes. Elles avaient le cou flasque et les pattes raides mais, alors que chez le boucher les bêtes passaient sans transition de l'état d'êtres vivants à celui de viande, les volailles à cause de leurs plumes, gardaient leur aspect naturel.

La ville se terminait aux boutiques d'alimentation, et c'était ensuite la nuit noire, dans la rue Johnson et le quartier chinois. Nous faisions alors demi-tour jusqu'à James' Bay, prêtes à aller au lit.

Dans la salle du petit déjeuner, la tablette de la cheminée était très haute. C'est là que nous suspendions nos bas, pendant que notre sœur nous lisait les vers suivants :

C'était la nuit de Noël et dans le logis
Rien ne bougeait, même pas une souris.

En montant nous coucher, nous sentions l'odeur de l'arbre de Noël qui nous attendait dans la salle à manger. Comme la pièce était dans l'obscurité, nous ne pouvions le voir. Mais nous savions qu'il était là, rempli de cadeaux, prêt à nous accueillir le lendemain, et si haut qu'il touchait le plafond. Allumées, les lumières seraient si nombreuses qu'aucun de nous, les enfants, n'arriverait à les compter. Nous ferions une ronde autour de l'arbre, en nous tenant par la main, et en chantant des chants de Noël. Bong, en arrivant, nous regarderait bouche-bée. Il y avait toujours des cadeaux pour lui dans l'arbre, mais sans prendre le temps de les recevoir, il retournait précipitamment à sa cuisine, où nous les lui apportions. C'était comme s'il s'était senti trop chinois pour célébrer Noël avec nous à la canadienne.

Il n'y avait pas de service religieux, le matin de Noël, à l'église presbytérienne. Nous allions donc à l'église épiscopale réformée avec ma sœur. Papa restait à la maison avec notre mère.

Pendant toute la semaine précédant Noël, nous étions entrées dans le sous-sol de l'église réformée par une sorte de trou. Nous y avions cousu, sur de longues bandes de papier brun, des brindilles de pin, qui serviraient ensuite à décorer les hauts vitraux de l'église. L'endroit était mal éclairé et il y faisait un froid de canard. On nous asseyait à une grande table, posée sur la terre battue. Pour ne pas nous geler les pieds, nous nous promenions toutes, en éternuant, à la recherche de planches sur lesquelles les poser. On se piquait les doigts avec le houx, et la résine les rendait tout collants. À force de se piquer, de renifler — car elles étaient toutes enrhumées — et de penser au travail qui les attendait à la maison, les dames étaient devenues très irritables. Pour nous, les enfants, tout ce qui sortait de l'ordinaire était bienvenu. Nous nous sentions de plus, très importantes d'être ainsi appelées à participer à la décoration de l'église.

Les gens ne se faisaient des cadeaux que dans leur famille immédiate. Aux autres, ils offraient une carte de souhaits, et vous donniez des baisers à des gens qu'autrement vous n'embrassiez jamais.

Le Jour de l'An était également excitant. Traditionnellement, les dames restaient à la maison et recevaient dans leur salon, où étaient disposés des carafes de vin et des gâteaux, les messieurs qui venaient leur souhaiter la bonne année.

Sitôt après le déjeuner, nous montions dans la chambre de maman, d'où nous pouvions voir le plus loin dans la rue, pour surveiller l'arrivée des premiers visiteurs. C'étaient généralement les frères Cameron, qui venaient de bonne heure pour éviter de rencontrer des gens.

Les messieurs se rendaient également à la résidence du Gouverneur général, et les officiers de marine faisaient des visites de politesse à tous ceux qui les avaient reçus durant leur stage à Victoria.

Les régates

Après avoir traversé le port de Victoria, on se trouvait dans les eaux calmes du Gorge, un magnifique bras de mer qui pénétrait à l'intérieur des terres sur une distance de trois milles. Près de son embouchure, il y avait un passage étroit entre des falaises, avec au milieu un roc submergé qui faisait souvent chavirer les canoës. À marée montante ou descendante, il s'y formait une cascade de quatre pieds environ, écumeuse et assourdissante. Si, à ce moment-là, vous étiez en train de pique-niquer sur la rive, vous pouviez être forcé d'y rester jusqu'à minuit passé. Un pont très élevé franchissait le Gorge. Les rives de ce bras de mer étaient très boisées. Ici et là, entre les arbres, se blottissaient de riches demeures, dont les jardins s'étendaient jusqu'au bord de l'eau. Le reste du rivage était propriété publique, c'est-à-dire que tout le monde pouvait y pique-niquer.

Les eaux du Gorge étaient beaucoup plus chaudes que celles des plages aux environs de Victoria. Près du pont de James' Bay, il y avait un endroit où l'on pouvait louer canoës et chaloupes. Les gens qui habitaient le port avaient souvent leurs propres bateaux ainsi que leurs remises, car les régates et autres sports nautiques constituaient l'une des principales attractions de Victoria. Le 24 mai, on venait de Vancouver et des États-Unis pour y assister.

Les régates se disputaient entre la marine et les tribus indiennes qui vivaient le long de la côte. La marine envoyait, du port d'Esquimalt, ses matelots en marinières bleues, à bord des lourds canots de ses navires. De rapides vedettes, pilotées par des *midshipmen*, les dépassaient en donnant des coups de sifflets. Les Indiens, devaient, pour leur part, parcourir de longues distances dans leurs canots de course minces et élancées avant d'atteindre le port. Chaque canot comptait dix pagayeurs et un homme de barre.

Le port tout pavoisé avait un air de fête. Les courses commençaient à une heure de l'après-midi, au pont du Gorge. Ma famille assistait aux régates en compagnie de M. et Mme Bales. M. Bales était propriétaire d'un chantier maritime situé en aval du pont de Point Ellice, là où commençait le Gorge. Nous embarquions sur le chantier même, au bord de l'eau, entourés d'un tas de bateaux en construction qui me faisaient penser à nous sur les plages de Beacon Hill quand, grelottant en chemise de nuit, nous essayions de ramasser assez de courage pour nous jeter à l'eau. Mais le gentil M. Bales, avec ses joues toutes roses, à l'encontre de notre sœur qui nous prenait à bras-le-corps et nous lançait à la mer, faisait glisser doucement son bateau à l'eau.

Une fois à bord les provisions du pique-nique, on larguait les amarres et nous allions rejoindre les autres embarcations — voiliers, canoës, radeaux et barques de pêche — qui remontaient le Gorge, en même temps que les embarcations de la marine et les canots de guerre. Il y avait une fanfare, des harmonicas, des concertinas et partout, des pavillons. Les familles indiennes pagayaient sans mot dire, le silence seulement rompu, de temps en temps, par les jappements d'un de leurs chiens apercevant, dans une autre pirogue, un adversaire. En passant sous le pont de Point Ellice, on entendait le roulement sonore des voitures. La poussière filtrait entre les planches, saupoudrant nos têtes. Les gens venaient de partout, dans la campagne environnante, assister aux régates. Ils arrivaient en chariots et en buggys, soit par le chemin Gore, d'un côté de l'estuaire, soit par le chemin Craigflower, de l'autre. Ils attachaient leurs chevaux dans les bois et transportaient leurs paniers de victuailles jusqu'au rivage. Là, tout en piqueniquant autour d'un petit feu, ils avaient un bel aperçu des régates.

Le départ des courses se faisait du pont du Gorge. Les canots descendaient l'estuaire, contournaient l'île Deadman — jadis lieu de sépulture indienne — et revenaient au pont.

Les courses de canots indiens étaient de loin les plus excitantes. Dix pagaies qui plongeaient ensemble dans l'eau, dix hommes qui tendaient au même moment le buste tandis que l'homme de barre, avec force grognements et de profondes salutations, marquait le rythme. Les pagayeurs portaient des chemises et des serre-tête aux couleurs vives ; certains s'étaient même peint le visage. La course de Kloochman, réservée aux femmes, était encore plus formidable que celle des hommes. Fortes et fières, leurs châles bariolés enroulés autour de leur taille, les femmes se donnaient corps et âme à la course. Animées d'une vie nouvelle, leurs canots volaient sur l'eau, les pagaies soulevant des traînées d'écume. Tous ces corps tendus en avant, puis redressés sous l'effort, semblaient n'appartenir qu'à un seul être, tous ces grognements n'émaner que d'une seule gorge. La foule, du rivage, criait son encouragement ; dans leurs canots, au bord de l'eau, les Indiens suivaient la course en silence, les yeux rivés sur les concurrentes.

Les courses des *Blue Jackets** étaient aussi très exaltantes. Les canots de la marine semblaient des monstres courageux, résistants et fiables. Les gestes puissants, rythmés des marins britanniques paraissaient aussi sûrs que la terre elle-même, différents, comme le jour et la nuit, des extravagants canots de guerre, qui fendaient l'onde à la vitesse d'un feu roulant.

Les régates se terminaient par une épreuve assez cruelle. On halait une vieille barque jusqu'au milieu du courant ; à l'une de ses extrémités, au bout d'une perche, était suspendu un cageot d'où émanaient les cris d'un cochon désespéré. Le tour consistait à aller déloger le cageot, en marchant sur la perche préalablement enduite de graisse. Comme la perche était souple, la cage se balançait et les hommes tombaient à l'eau, les uns après les autres, malgré leurs efforts d'équilibristes. Le pauvre cochon criait de plus belle et les spectateurs se tenaient les côtes tandis que l'on graissait la perche pour le suivant. Quand enfin un concurrent, dans un grand soulèvement d'écume, avait réussi à faire tomber le cageot, des matelots, s'empressaient de le récupérer avant que le cochon ne soit tout à fait noyé.

---

* Marinières bleues.

La fanfare entonnait le *God save the Queen* et tout le monde, dans les bateaux comme sur le rivage, l'accompagnait en chantant. *Queen! Queen!* répondait l'écho entre les arbres et sur les rochers.

De son cageot, trempé et frissonnant, le pauvre cochon n'avait que faire de la reine. « Sauvez-*moi*! » implorait-il...

Quelques originaux

La ville de Victoria attirait d'étranges personnages ; une foule de gens qui n'avaient pu trouver où se nicher ailleurs. À l'exemple du serpent dont les proies avalées toutes rondes déforment le corps tandis qu'il les digère, Victoria était toute en bosses et en saillies. Ses originaux étaient parfois difficiles à digérer ...

Dans certains cas, il s'agissait de gens qui, après s'être accrochés trop longtemps à des parents, avaient été poussés par ceux-ci à émigrer. « Les voyages sont devenus si faciles . . . Porte à porte, sans escale . . .! Quelle expérience exceptionnelle! Et puis n'oublie pas que Victoria n'est pas une ville canadienne, mais une colonie de la Couronne! Allons, pourquoi ne pas tenter l'aventure, *darling*? Et les *darlings*, qui avaient depuis leur naissance mené une vie étriquée — surtout depuis que les autres membres de la famille s'étaient mariés, leur laissant la maison paternelle, sans contribuer à son entretien — les *darlings* se laissaient peu à peu gagner par l'idée de l'aventure, vendaient tout et s'embarquaient pour le Canada. Entourés de parents venus leur dire au revoir, en les appelant « de fameux sportifs », et en les enjoignant de leur écrire au plus tôt, ces gens qui n'avaient jamais eu grand-chose à raconter, encore moins à écrire, se lançaient tête première dans l'inconnu.

Dans d'autres cas, il s'agissait d'un frère et d'une sœur célibataires, derniers rejetons d'une famille, devenus inséparables.

À partir du moment où la sirène avait annoncé le départ, le paysage de la patrie allait s'estomper de plus en plus avec chaque mille marin parcouru. Bientôt, ils se mettraient à avoir le mal du pays. Que d'eau! Puis : Quels immenses territoires! Ils auraient, de jour en jour, de plus en plus mal. Ensuite, ils découvriraient les vastes forêts de l'Ouest et la petite ville de Victoria, noyée dans sa solitude. Leurs sentiments défieraient alors toute description. Ils loueraient de minables cottages et se verraient contraints de faire eux-mêmes, maladroitement, ce que des domestiques impeccables avaient toujours fait pour eux. Trop tard : la maison familiale avait été vendue et l'argent qu'ils en avaient retiré diminuait à vue d'œil. Il y avait un grand nombre de ces malheureux à Victoria. Quand ils voyaient passer un de nos cortèges funèbres « à la mode de l'Ouest », ils frémissaient en évoquant leurs douillets petits cimetières anglais.

Il y avait aussi les tantes célibataires, agglutinées à la famille d'un frère marié, qui se chargeaient d'apprendre à leurs neveux et nièces à s'exprimer et à se conduire correctement. Tout en regrettant amèrement que leur frère ait choisi d'émigrer, elles n'auraient pour rien au monde failli à leur devoir de préserver ses enfants du colonialisme. Mais leur croix était parfois dure à porter. Une fois au Nouveau Monde, leur rôle perdait de son prestige ; car les enfants nés au Canada avaient tôt fait de rejeter leur tyrannie. Assises au coin du feu, rêvant, la larme à l'œil, de leur chère Angleterre, elles se transformaient bientôt en épaves. Et tandis que la mère de famille apprenait de son mieux à mettre la main à la pâte — afin de pouvoir enseigner l'art culinaire à ce que la tante appelait son « serviteur païen » — celle-ci faisait la dégoûtée à propos de choses aussi basses qu'une cuisinière ou une cuve à lessive.

Nous n'avions pas chez nous de tante célibataire. Bien que notre chère petite maman eût une santé délicate et qu'elle ait donné le jour à neuf enfants — dont trois étaient morts — elle s'arrangeait très bien avec l'aide de mes grandes sœurs et de notre jeune serviteur chinois, Bong. Il lui arrivait souvent de devoir apprendre à des Anglaises qui, habituées à se faire servir, ne savaient rien faire de leurs dix doigts, à utiliser leur tête et leurs mains pour faire marcher leur foyer canadien. La seule aide possible était en effet celle de jeunes Chinois sans expérience.

Il y avait, rue Toronto, du côté de James' Bay, une famille tout à fait étonnante : deux frères, O'Flahty le Gros et O'Flahty le Maigre, et une sœur, Mlle O'Flahty, tous trois d'âge mûr. Les O'Flahty s'étaient construit une baraque en bois flotté ramassé sur la plage. À toute heure du jour et de la nuit on pouvait les voir coltiner du bois mort dans leur brouette. De temps en temps, appuyés aux manches, ils s'arrêtaient pour fumer une pipe. Ils employaient le bois tel qu'ils le trouvaient, sans jamais le scier : des troncs d'arbres généralement, assez longs et bien ronds, polis par les vagues et les rochers au cours de leurs longues nages qui les avaient amenés on ne sait d'où.

La baraque des O'Flahty ressemblait ainsi à un bûcher prêt à s'enflammer. Elle n'était à peu près d'équerre qu'au ras du sol, et même là, elle était plutôt biscornue. Les troncs, posés debout, se profilaient dans le ciel à toutes les hauteurs. De vieilles planches, également trouvées sur la plage, tenaient lieu de porte, et la toiture était faite de tout et de rien, surtout de boîtes de conserve vides. Un tuyau de poêle en émergeait. La clôture dont s'entourait soigneusement le petit coin de terre des O'Flahty était à l'avenant.

Les O'Flahty habitaient leur étrange cabane depuis plusieurs années déjà, lorsque ma mère eut vent que Mlle O'Flahty était au plus mal. Elle nous envoya tout de suite lui apporter de la soupe. Nous cognâmes à la barrière cadenassée. Le gros O'Flahty vint nous ouvrir. Nous marchâmes sur une planche jusqu'à la porte d'entrée, également fermée par un cadenas.

— Ça ne va pas du tout, murmura le pauvre homme, en nous faisant entrer.

Il faisait presque noir et il y avait beaucoup de fumée à l'intérieur. Au centre de l'unique pièce, ils avaient amassé un tas de bois flotté, posé debout pour faire plus de place. Le gros O'Flahty déplaça deux bûches et, quand nos yeux se furent habitués à l'obscurité, nous discernâmes quelque chose de blanc, dans un coin de la pièce : c'était le visage de Mlle O'Flahty. Elle était étendue sur un lit de bois flotté, sans pattes, posé à même le plancher. Nous n'avions pas la place d'entrer dans la « chambre à coucher » de Mlle O'Flahty. À peine si nos regards pouvaient s'y glisser.

Debout derrière sa sœur, le gros O'Flahty nous demanda :

— Trouvez-vous qu'elle a l'air très malade?

Regardant par-dessus l'épaule de son frère, O'Flahty le Maigre, une tasse en fer blanc à la main contenant un peu de soupe, enchaîna :

— Terriblement malade, non?

Leurs voix étaient remplies d'effroi.

Le Maigre tendit la tasse de soupe à la malade. Le visage blafard à moitié perdu dans l'ombre, elle fit faiblement signe que non.

Les deux frères gémirent.

Après que Mlle O'Flahty eut rendu l'âme, le Maigre et le Gros la firent embaumer et placer dans un superbe cercueil. Ils la transportèrent jusqu'à l'Outer Wharf* sur cette même brouette qui leur avait servi à ramasser le bois pour leur cabane. Nous nous trouvions justement sur le quai à ce moment-là, en train de dire au revoir à notre tante, qui repartait pour San Francisco. « Ah, mon Dieu! » s'écria la tante dont la cape venait de frôler le cercueil. Assis sur les manches de la brouette, le Gros et le Maigre pleuraient. Quand tout le monde fut embarqué, les deux frères, le poing sur l'œil et reniflant bruyamment, poussèrent la brouette et sa lourde charge jusque dans l'entrepont, et disparurent à sa suite.

Lorsque plus tard, nous repassâmes par la rue Toronto, leur cabane hétéroclite avait elle aussi disparu.

Élizabeth Pickering était une autre de ces épaves humaines. Emmitouflée dans son châle rouge et généralement ivre, elle errait dans les rues de Victoria. Quand il lui arrivait de se dégriser, elle allait demander l'aumône au bon évêque Cridge. Celui-ci la remettait entre les mains de sa sœur, une vieille fille spécialisée dans le redressement. Élizabeth approchait une chaise de l'âtre, et là, les orteils bien au chaud, elle s'assoupissait jusqu'à ce que la

---

* Le quai extérieur.

soif la réveille. Bâillant tout son soûl, elle étendait le bras pour prendre les petits colis que la femme de l'évêque avait placés sur une table à côté d'elle. Puis, que la tante Cridge ait fini ou non de la sermonner, elle se levait en disant d'une voix compassée :

— Vous avez mal à vos «rhumatisses», aujourd'hui, hein, ma pauvre? On souffre de la même chose toutes les deux. C'est trop cruel!

Il y avait aussi à Victoria, à l'époque où j'étais écolière, une vieille mulâtresse un peu folle, du nom de Tina. Elle habitait rue du Fort, au milieu d'un terrain vague. Sa cabane se trouvait située légèrement en contrebas de la route. Des garnements s'amusaient parfois à lancer des cailloux sur son toit en tôle, puis ils fuyaient à toutes jambes. La vieille Tina surgissait alors de sa mansarde en vociférant et en poussant des grognements évocateurs d'un nid de guêpes. Son bonnet matelassé en était tout secoué, de même que les mèches grises qui s'en échappaient, ses haillons et ses petits poings noirs.

Je n'ai jamais su si quelqu'un s'occupait de Tina. Elle ratissait les fossés et les terrains vagues en quête de trouvailles qu'elle enfouissait dans son sac, marmonnant tout au long du parcours et brandissant son bâton devant les passants.

Personne ne demandait jamais d'où venaient tous ces malheureux. Ils faisaient partie du paysage, au même titre que le chou puant de nos marécages.

Il ne faudrait pas croire pour autant que tous ces originaux aient été des miséreux. Il y avait parmi eux nombre de vieux rentiers à demi gâteux. On les voyait se promener en buggy dans Victoria — plus gros était l'homme, plus petit le buggy. Semblables à des nounous qui poussent une voiture d'enfant, leurs vieux chevaux les promenaient fidèlement à travers la ville. Beau temps, mauvais temps, ils faisaient prendre l'air, sur le chemin Dallas, à leurs vieilles charges. Les sachant endormies, ces bêtes dociles allaient au pas durant tout le trajet, en ayant soin de se tenir au milieu de la chaussée. Voyant la tête dodelinante de l'occupant et les rênes relâchées, les passants s'écartaient sur leur chemin. D'ailleurs, les rues n'étaient guère achalandées en ce temps-là, et les gens avaient tout leur temps. Les cabriolets et les hauts dog-carts des messieurs dépassaient à vive allure les chevaux-nounous. Les dog-carts, après une courte halte dans quelque guinguette doublaient de nouveau les vieux chevaux. Ceux-ci, toujours aussi tranquillement, se rendaient jusqu'à un certain arbre du chemin Foul Bay et après l'avoir contourné, rentraient à la maison au moment où le boy chinois mettait le dîner sur la table. Ces vieilles carnes étaient des modèles de ponctualité.

Parmi ces vieux messieurs, il y en avait surtout un qui adorait les enfants. Quand il nous arrivait de le croiser, il tirait sur ses rênes en émettant un « ho! » poussif — adressé à nous autant qu'au cheval — et sortait de sa poche un cornet en papier. Se penchant pardessus la roue avec un beau sourire, il nous distribuait des sucettes. Il était si laid qu'il nous faisait peur. Mais notre mère, qui le connaissait, nous assurait qu'il aimait les enfants et que nous n'avions rien à craindre de lui. Ce qui ne nous empêchait pas, quand nous l'apercevions à temps, d'aller vite nous cacher jusqu'à ce que son buggy soit passé. Il était vraiment trop laid . . . !

Il y avait, dans une famille amie, une de ces « sœurs-de-papa », une tante qui se chargeait de corriger les manières non seulement de ses propres nièces, mais des jeunes Canadiens en général. Son plus cher désir eût été d'introduire, dans l'Ouest canadien, la notion du raffinement. Les beaux matins d'été, à sept heures trente précises, cette femme élégante et énergique arrivait chez nous juste à temps pour la prière et le déjeuner. Malgré sa tenue altière, cette dame tombait aussi vite à genoux pour prier que n'importe laquelle d'entre nous. Elle distribuait ensuite des baisers et, ses yeux perçants faussement sévères, nous tenait les unes après les autres à bout de bras, critiquant nos dents mal brossées, nos rubans de tête mal noués, l'état de nos ongles. Elle conseillait à ma mère de nous faire manger plus ou moins de porridge, de ne jamais nous donner de fruits crus, mais seulement en compote, et de ne jamais, au grand jamais, nous laisser manger de fruits à noyaux, ni de bonbons d'aucune sorte. Elle nous rappelait qu'à table, il ne faut jamais redemander de quelque chose mais attendre qu'on vous resserve, nous faisait pratiquer notre prononciation anglaise puis, après nous avoir mises en retard, disait brusquement : « Allez, mes chéries, dépêchez-vous. Une dame n'est jamais en retard! »

Il y avait enfin, parmi ces originaux, Charlie et Tilly, un frère et une sœur qui s'étaient sûrement chacun juré qu'il enterrerait l'autre. Tel de vieilles volailles, ce couple suranné remontait à pas menus l'avenue Birdcage*. Chacun inclinait légèrement la tête de côté, Charlie, pour que Tilly puisse atteindre du bout des lèvres son oreille sourde, et Tilly, afin de pouvoir crier directement dans l'oreille de Charlie. Plus Tilly criait fort, plus sa voix devenait aiguë. Comme Charlie était beaucoup trop poli pour élever la voix au-delà d'un murmure — que lui-même ne pouvait entendre — il se contentait de dire : « Oui, oui, ma chère Tilly » ou « Bien entendu, chère Tilly » alors qu'en réalité, il aurait sûrement voulu s'exclamer : « Certainement pas, ma chère Tilly! »

Le frère et la sœur se promenaient donc ainsi, murmurant et hurlant à tour de rôle, dans l'avenue Birdcage, leur rue. Arrivés devant leur porte, ils montaient en sautillant les deux marches de leur perron, et entraient chez eux en roucoulant.

— Mais oui, ma chère Tilly, mais oui!

---

* L'avenue des cages d'oiseaux.

Une loyauté toute britannique

Medina's Grove était un charmant petit bois. Sa douce moiteur amollissait la raideur coutumière de mon père et faisait briller l'étincelle si soigneusement cachée au fond de son regard gris et sévère. On n'y ressentait ni les terreurs de la forêt, ni le froid des clairières venteuses. Cet endroit avait un côté intime, un peu irréel, comme celui dans lequel, lorsque vous êtes au lit, la bougie éteinte, vous plonge le sommeil.

La ville de Victoria se devait d'être particulièrement loyale à la couronne britannique du fait qu'elle portait le nom de la souveraine. Le vingt-quatre mai, jour de la fête de la reine, y était le jour le plus important de l'année — en dehors de Noël, bien entendu. Aucune autre ville n'organisait de célébrations comparables à celles de Victoria.

Mai est à vrai dire notre plus beau mois. Le lilas, l'aubépine, la cytise et le genêt y sont en pleine floraison, suppliant la brise printanière de leur laisser leurs pétales jusqu'au lendemain du vingt-quatre, pour que Victoria porte, le jour de la fête, sa plus belle parure. Le vingt-trois, d'ailleurs, il nous arrivait bien souvent de devoir nous tenir debout sur le billot à la pluie battante et, nous agrippant aux poteaux de la véranda, de chanter :

Va-t'en, pluie, va-t'en,
Reviens à un autre moment!
Bientôt, quand je ferai du gâteau,
Je t'en enverrai un morceau.

Tantôt la pluie nous écoutait; tantôt elle faisait la sourde oreille. Mais malgré tout, la plupart du temps il faisait beau pour le grand jour. Ce qui nous arrangeait bien, car c'est le jour de la fête de la reine que nous étrennions nos robes d'été.

Maman nous préparait un magnifique pique-nique. Papa laissait au bureau son visage soucieux, et à la maison son air sévère. Couvertures, provisions et théière de fer noir étaient empilés dans notre vieille voiture d'enfant, et nous poussions le tout jusqu'au bout de la rue Simcoe. Cette rue passait à côté de la maison et se terminait à Medina's Grove. En mai, avec les buissons couverts de pousses vertes, les veaux nouveau-nés qui gambadaient partout et les oiseaux venus faire leurs nids, on se serait cru au royaume des fées. À un champ de distance, l'air soufflait de la mer. Les mouettes plongeaient vers notre pique-nique, en quête de miettes. Le sol était tout bosselé de touffes d'herbe que les vaches n'avaient pas réussi à brouter. Les arbres, bien que certains fussent très grands dans ce petit bois, n'étaient pas assez touffus pour cacher le soleil, et tous les parfums s'y trouvaient réunis. Ce n'était pas comme de jouer dans un jardin ; le Grove avait un petit air de nature sauvage, tout en ne recélant pas les menaces de la forêt. Les bosquets poussaient par petits groupes, tels des familles. Chacun pouvait pique-niquer dans son petit coin bien à soi ; seuls les rires s'entremêlaient, au-dessus des buissons. Il n'y avait pas de grilles à refermer, ni de plates-bandes interdites à nos courses folles. On pouvait tout cueillir, et manger à sa faim. Ces pique-niques furent notre première façon de célébrer la fête de la reine. Devenues, en grandissant, assez raisonnables pour rester tranquilles en bateau, on nous emmena aux régates dans l'estuaire. À partir de ce jour, la fête de la reine ne fut plus notre fête à nous. Une petite vieille, dont nous n'avions qu'une vague idée, était venue nous la ravir.

Cette reine, dont notre ville portait le nom, n'était à vrai dire pour moi rien de plus que cela : un nom. Mes grandes sœurs qui étaient bien renseignées à son sujet imaginaient, je suppose, que j'étais dans le même cas qu'elles. Ce fut cependant Mme Mitchell qui tira la famille royale du monde des fées où je l'avais placée, faisant ainsi de ses membres des êtres en chair et en os. Cette Mme Mitchell était une vieille dame toute petite et fragile. Son mari était pépiniériste de son état. Tous deux étaient venus d'Angleterre à l'époque où l'on morcelait les terres en lots. Ils avaient aménagé leur pépinière non loin de chez nous.

Ma mère avait coutume de rendre visite à tous les nouveaux voisins qu'elle soupçonnait de vivre isolés, en proie au mal du pays. Mme Mitchell était justement très seule et l'Angleterre lui manquait affreusement. Elle prétendait s'être mise à m'aimer la toute première fois que ma mère m'avait emmenée lui rendre visite. Grassouillette et rose, je lui rappelais, disait-elle, les enfants anglais. Ce que je n'étais pas évidemment, et, si j'aimais Mme Mitchell, ce n'était pas non plus parce qu'elle était anglaise. Je l'aimais parce qu'elle aimait les bêtes. J'aimais aussi son jardin, avec ses rangées de plants de pépinière et ses plates-bandes d'œillets et de résédas. Mme Mitchell était gentille et douce. Elle avait une petite voix aiguë, qui montait d'autant plus qu'elle vous aimait. Ses pintades et moi, la lui cassions complètement.

Mme Mitchell possédait quatre pintades mouchetées qui étaient, pour son mari et elle, comme des enfants. Quand ils ouvraient la porte de leur cottage pour appeler : « Venez, venez, chères petites », les pintades traversaient la cuisine à pas menus et allaient sauter sur leurs genoux, dans le salon.

La pépinière des Mitchell se trouvait à côté d'une ferme louée par Jim Phillips. Furieux de voir les pintades survoler la clôture pour venir manger son grain, il en tua trois avec son fusil. Inconsolable, le vieux couple porta sa cause devant les tribunaux et obtint un remboursement. Mais la valeur commerciale de leurs pintades leur était indifférente ; c'était leur vie éteinte qu'ils pleuraient. Ces pintades avaient remplacé les enfants qu'ils n'avaient pas eus ; aussi ne quittaient-ils pas des yeux la survivante. Quant à Jim Phillips, il avait été d'autant plus furieux d'avoir dû rembourser le prix des pintades, qu'il voyait le vieux couple les pleurer non par intérêt, mais par amour.

Le visage enfoui dans ses plumes mouchetées, Mme Mitchell berçait en pleurant sa dernière pintade, blottie dans son tablier de soie noire. Elle avait retiré le petit nœud rose de sa coiffe de dentelle noire, dont les longues attaches également noires tombaient sur ses épaules, mais la petite touffe d'immortelles qu'elle portait sur l'oreille, cousue à sa coiffe, demeurait intacte. Dans la pièce du devant, le plancher était entièrement recouvert de ces minuscules fleurs, mises à sécher. Cassantes et fragiles comme des chrysalides, elles sentaient le foin et paraissaient, bien que mortes depuis une année, encore vivantes. Mme Mitchell en faisait des couronnes mortuaires, pour rappeler, disait-elle, que la mort n'existe pas.

Dans le but de la réconforter, je rendais souvent visite à Mme Mitchell. Mais rien, semblait-il, ne pourrait jamais la consoler de la mort de ses trois pintades. L'aile pendante, la dernière passait des journées entières pelotonnée dans son giron. Je cherchais autour de moi de quoi la distraire. Les murs du salon étaient tapissés de photos découpées dans le *London News* et le *Daily Graphic* : de grandes dames aux cheveux crêpés, couvertes de colliers ; et des messieurs bardés de rubans et de décorations.

— L-A- R-E-I-N-E-V-I-C-T-O-R-I-A, épelais-je. C'est la dame qui a sa fête le vingt-quatre mai?

— Oui, ma chérie, me répondait Mme Mitchell, en reniflant dans les plumes de sa pintade. Notre très gracieuse souveraine, Victoria.

— Et c'est qui le monsieur à côté d'elle?

— Le défunt prince consort, ma chérie, et ici, tu vois, c'est la princesse royale, et ici, le prince de Galles et la princesse Béatrice.

— Je croyais qu'on trouvait les princes et les princesses seulement dans les contes de fée? Qu'est-ce que tous ces gens ont à voir avec la reine Victoria?

Mme Mitchell fut vraiment scandalisée par ma question. Se servant de la pintade comme d'une baguette, elle la pointa d'une photo à l'autre, nous expliquant à toutes deux les différentes « royautés », soulignant leur âge, si elles étaient mariées, à qui, et le reste. Arrivées finalement à la photo d'une dame dans un cadre noir surmonté d'un nœud de crêpe et portant à sa base un bouquet d'immortelles, Mme Mitchell dit, en reniflant de plus belle :

« La princesse Alice, ma chérie, une sainte dans le ciel ! » Sur quoi, elle éclata en sanglots.

J'étais persuadée que toutes les personnes sur les photos devaient être apparentées à Mme Mitchell. Elle semblait si bien les connaître, et elle avait pleuré si fort en arrivant à Alice. Il y avait partout des photos de la reine. Bien qu'elle me soit apparue aussi vague et lointaine que Job ou saint Paul, je savais que c'était quelqu'un de terriblement important. Elle ne m'avait jamais semblé quelqu'un de vrai, avec une famille et tout ; je savais seulement que la ville de Victoria, le Canada, le vingt-quatre mai, l'église d'Angleterre, et tous les soldats et tous les marins du monde lui appartenaient. Soudain, elle existait vraiment, et c'était une femme comme ma mère, avec beaucoup d'enfants.

Mme Mitchell se donnait un mal fou pour m'apprendre à connaître la famille royale. Ceci s'avéra une excellente chose, car devinez qui devait bientôt arriver au Canada, à Victoria même, pour un long séjour à la résidence du gouverneur général ? La princesse Louise et le marquis de Lorne ! Mme Mitchell fut tellement surexcitée par cet événement qu'elle en oublia de pleurer. Elle, qui ne sortait jamais, dénicha une coiffe que je ne lui avais jamais vue, passa un dolman sur sa robe de pure soie, enferma la pintade dans la cuisine, et monta à bord d'une voiture louée, avec Henry, son flacon de sels et sa coiffe ornée d'un nouveau bouquet d'immortelles. La coiffe était dans un sac de papier, sur les genoux d'Henry. Ils se rendirent chez le docteur Ashe, rue du Fort, où le défilé devait passer, et assis à l'un des bow-windows, ils saluèrent la princesse, en agitant la main. En voyant une princesse Louise souriante et vêtue de couleurs vives, Mme Mitchell se rendit compte que sa chère princesse Alice était morte depuis un bon moment et que la cour avait mis fin à son deuil. En rentrant à la maison, elle retira le crêpe du cadre de la princesse Alice, n'y laissant que le bouquet d'immortelles.

Mme Mitchell lisait tout ce qui paraissait dans les journaux au sujet de sa chère princesse, durant la visite de celle-ci à Victoria : comment elle était allée faire des croquis dans le parc et parler aux gens dans les boutiques ; comment, étant entrée acheter des gâteaux dans une pâtisserie, et s'étant glissée derrière le comptoir pour indiquer son choix au pâtissier, elle s'était faite tancer par ce dernier qui s'était écrié : « Personne derrière le comptoir, ma p'tite dame ! », et comment, en voyant l'adresse de sa cliente, le pâtissier avait failli mourir de honte — tout comme Mme Mitchell d'ailleurs en lisant le récit de sa mésaventure.

La vue de la royauté avait ravivé en Mme Mitchell le mal du pays. Son mari et elle vendirent bientôt tout, et rentrèrent mourir en Angleterre. Elle me laissa en souvenir un livre sur les maladies ainsi qu'une boîte vide munie d'une serrure et d'une clef pour l'ouvrir. Je n'aimais pas son livre sur les maladies, et ne pus rien trouver d'assez important pour être mis sous clef dans la boîte vide. Je rangeai donc celle-ci tout en haut de mes tablettes. En quittant Victoria, Mme Mitchell pleura à chaudes larmes, tout en répétant : « Je rentre dans mon pays, ma chérie, je rentre chez moi. »

Le voyage en mer faillit la tuer, et l'Angleterre l'acheva. À l'exception de quelques lointains cousins, tous ses parents étaient morts. Elle m'envoya l'*Élégie dans un cimetière de campagne*, de Gray ; Henry m'écrivit qu'elle pleurait autant en pensant à Victoria et à moi, qu'elle avait su pleurer l'Angleterre, la princesse Alice et ses pintades. Puis un jour, je reçus une carte de couleur argent bordée de noir, sur laquelle étaient inscrits les mots « In Memoriam de Anne Mitchell ». J'eus alors quelque chose à serrer dans la petite boîte, à côté d'un petit bouquet d'immortelles, le dernier que Mme Mitchell m'ait offert.

Le docteur et le dentiste

Dans les premiers temps de Victoria, on n'avait pas encore inventé les spécialistes. Le médecin de famille vous soignait de la tête aux pieds ; il n'y avait pas de médecin pour chaque partie du corps. C'est ainsi que le docteur Helmcken s'occupait de tous nos bobos — de la goutte de mon père à nos indisgestions ; il nous indiqua même un jour comment soigner notre chatte tombée en convulsions. Quand vous l'appeliez d'urgence, plutôt que — comme certains — vous laisser devenir encore plus malade afin de pouvoir vous soigner plus longtemps, il arrivait sur-le-champ. En entendant son pas dans l'escalier, on se sentait tout de suite mieux. Il vous administrait pourtant les plus affreux remèdes : huile de ricin, poudre de Gregory, pilules bleues, potions noires, soufre et mélasse.

Les farceurs l'appelaient le docteur *Heal-my-skin**. Il pratiquait déjà la médecine à l'époque du vieux fort et connaissait, par conséquent, tout le monde à Victoria. C'était un homme de taille élancée, très actif, très gai. Quand il venait voir ma mère, nous donnions du trèfle à sa vieille jument Julia, attachée à la grille. Le docteur adorait sa vieille Julia. À tel point, qu'une nuit d'orage, appelé d'urgence au chevet de ma mère gravement malade, il avait répondu à celle-ci, lorsqu'elle s'était excusée de les avoir fait sortir par si mauvais temps, Julia et lui :

---

* Guéris-ma-peau.

— Julia est restée à l'écurie. Pourquoi nous faire mouiller tous les deux?

Mon petit frère s'était un jour écorché la jambe en tombant contre une palissade. Le docteur Helmcken l'installa sur le sofa de la salle à manger et le recousit. Notre jeune Chinois fit irruption dans la pièce en s'écriant : « La maison brûle ! » Le docteur fit son dernier point de suture, essuya l'aiguille sur sa manche et la rangea dans son étui, puis, arrachant sa veste, il se précipita sur la pompe et l'actionna sans arrêt jusqu'à ce que l'incendie ait été maîtrisé.

Une autre fois, je m'agenouillai par inadvertance sur une aiguille qui se cassa dans mon genou. Comme j'expliquais à ma mère ce qui m'arrivait, nous aperçûmes le docteur Helmcken qui montait l'escalier. Il venait prendre des nouvelles du bébé qui avait été malade. Ils me couchèrent sur la table de la cuisine. Le docteur fit quelques incisions dans la peau de mon genou, et y fouilla pendant trois heures pour retrouver les bouts d'aiguille. On n'avait pas encore, à l'époque, appris à se servir d'un aimant pour extraire les éclats de métal, et on ne donnait pas non plus de chloroforme pour de telles balivernes.

— Gueule, petite, gueule un bon coup! me dit le docteur. Ça fera sortir la douleur.

J'eus beau hurler, la douleur demeura.

Je me souviendrai toujours de la joie dans la voix du docteur quand il s'exclama enfin :

— Dieu merci, je l'ai entièrement retirée, maintenant! S'il en était resté sous la rotule la moindre parcelle, la petite aurait boité toute sa vie!

Il s'était ensuite lavé les mains sous le robinet de la cuisine et m'avait donné un bonbon à la menthe.

Le docteur Helmcken nous connaissait tous, dans la famille, jusque dans nos moindres petits recoins. Il aurait pu nous mettre en pièces détachées et nous reconstruire, sans mélanger ni nos jambes, ni nos nez, ni quoi que ce soit.

Un petit cottage de deux pièces, situé rue du Fort, près de la rue Wharf, servait de bureau au docteur Helmcken. Il se trouvait au milieu d'un champ tout bosselé et, pour arriver à la porte, il fallait marcher sur deux planches et gravir trois marches. Au milieu de la pièce donnant sur l'extérieur, il y avait une grande table, remplie de bouteilles de toutes formes et de toutes tailles. Toutes étaient poussiéreuses et vides. Sur les murs, couverts de tablettes, s'alignaient d'autres bouteilles, pleines, celles-là, et un tas de vieux livres à demi moisis. Dans l'autre pièce, le bureau proprement dit, il y avait un poêle. Le plus grand désordre y régnait, mais le docteur ne permettait à personne d'entrer y faire le ménage.

Le docteur vous recevait assis à sa table, sur une chaise en bois à dos rond. Contre le mur étaient alignées trois chaises de cuisine destinées aux invalides. Il vous emmenait à une fenêtre très sale, sans rideaux, et, remontant le store d'un coup sec, ordonnait : « Ta langue ! » Il vous enfonçait ensuite le doigt ici et là dans le ventre, si fort que les choses tombaient de vos poches. Puis il vous appliquait une trompette en bois sur la poitrine, en plaquant son oreille à l'autre bout. Après avoir écouté et grogné pendant un moment, il allait dans la pièce voisine, prenait une bouteille en ayant soin d'y souffler la poussière accumulée et de la secouer pour en faire tomber les mouches mortes. Il se dirigeait ensuite vers ses tablettes où il la remplissait de médicaments contenus dans divers flacons. Il la bouchait, la remettait à ma mère, et me renvoyait me guérir à la maison. Comme s'il voulait brûler vos symptômes pour faire de la place au prochain malade, il se tenait, au départ de chaque malade, sur le pas de sa porte, en allumant un cigare.

Le dentiste de Victoria était d'une toute autre essence : un fameux comédien. « Mal aux dents, petite ? » vous disait-il, d'une voix mielleuse, le nez tordu contre l'une ou l'autre de ses joues, comme s'il avait lui-même très mal. Il vous asseyait alors dans un fauteuil de peluche verte, qu'il remontait de façon à vous avoir à hauteur de son œil. Puis, vous prenant la tête dans sa grande main rouge qui sentait le savon parfumé, il repoussait votre joue en disant :

— Laisse-moi seulement voir un peu. N'aie pas peur, je ne te ferai rien.

Pendant ce temps-là, il avait sournoisement pris quelque chose sur un plateau derrière vous, et avant que vous ne sachiez ce qui vous arrivait, il vous avait pratiquement arraché la tête!

— Vous m'avez menti! m'écriai-je un jour, ce qui me valut une bonne gifle, en plus de l'extraction et du sang qui dégoulinait sur mon menton.

Mon père n'avait jamais eu mal aux dents — il n'en avait pas non plus perdu une seule — avant d'avoir atteint l'âge de soixante ans. Quand le dentiste lui apprit qu'il devait obturer quatre de mes dents permanentes, il lui rétorqua : « Pensez-vous! Arrachez-les-lui. » Le dentiste lui dit, en se tordant le nez plus que jamais — mais tout en regardant par-dessus ma tête ma jolie sœur qui m'avait accompagnée — que ce serait dommage. Sur quoi, il m'attrapa la tête ; je serrai les dents. On me soudoya à coups de bonbons et de pièces de dix sous, mais dès que j'eus ouvert la bouche, je le regrettai et lui mordis le doigt.

Je connaissais une fille qui aimait bien le dentiste ; mais elle ne s'était jamais fait arracher de dents, seulement obturer, et il lui donnait des bonbons. Un jour elle me dit :

— J'aimerais bien savoir son nom. Ses initiales sont B.R.

— Moi je sais! lui dis-je. Brute royale!

Le mot « brute » était un de ces mots interdits dans notre vocabulaire. Je l'employai donc d'autant plus résolument en parlant du dentiste et m'en portai nettement mieux, par la suite.

La chaîne de forçats

De mes quatre grandes sœurs, les deux qui étaient beaucoup plus âgées que moi avaient enseigné une foule de choses à leurs deux cadettes, dont l'âge se rapprochait davantage du mien ; mais lorsque moi, je fus assez grande pour poser des questions sur les mêmes sujets, elles me répondirent : « Ne fais pas la teigne ! Cesse de poser des questions idiotes. » Deux ans de plus ou de moins font une énorme différence chez une petite fille au point de vue de la compréhension. Ainsi, à six ans, j'étais incapable de saisir des choses que les filles de huit et dix ans comprenaient. Il y avait donc de grands trous dans mes connaissances, et une foule de choses que je ne comprenais qu'à moitié, comme les saloons, la famille royale et les forçats.

Un jour que je me rendais en ville avec ma grande sœur, nous vîmes un groupe d'hommes qui travaillaient à la route, devant les édifices du Parlement. Ils portaient des vêtements bizarres, dont une petite toque ronde posée sur leur tête (rasée de si près qu'on eût dit une pomme pelée juchée au sommet de leur corps). Assis sur de grosses pierres, ils cassaient des cailloux, avec un marteau pointu : crac, tap ! crac, tap ! Debout derrière eux, deux gardes, armés de fusils, surveillaient leurs moindres gestes, les fixant avec la même attention forcenée que les prisonniers accordaient à leurs cailloux. Personne ne bougeait les yeux et personne ne parlait. Seuls s'entendaient le triste crap, tap, des marteaux et le bruit du gravier roulant aux pieds des hommes, comme des larmes de pierre.

Je levai les yeux vers ma sœur, pour lui demander qui étaient ces hommes ; mais elle me tira rapidement par la main, en fronçant les sourcils pour m'imposer le silence, jusqu'à ce que nous les ayons dépassés. À peine nous étions-nous engagées sur le pont de James' Bay, que nous entendîmes derrière nous un bruit de chaînes et de pas cadencés, très lourds. Les gardiens armés — l'un précédant, l'autre suivant la marche, et tous deux toujours aussi vigilants — conduisaient les hommes étranges de tout à l'heure à la ville. Ceux-ci boitaient, en tirant péniblement la jambe droite. C'est que, ainsi que je devais bientôt m'en apercevoir, chacun avait une barre de fer fixée à la jambe, au genou et à la cheville. Ils mirent un long moment à nous rattraper, puis à nous dépasser. Nous longions le garde-fou du pont. Ma sœur n'était pas du tout contente de se trouver à proximité de ces hommes, d'autant que nous ne pouvions nous empêcher d'adopter leur cadence clinquante. Après avoir franchi la rue Bastion, en route pour le magasin de mon père, nous arrivâmes à une grande palissade en planches, surmontée de pointes de fer, que je n'avais jamais remarquée auparavant. Soudain, celle-ci s'entrouvrit, et les hommes s'y engouffrèrent. Elle se referma ensuite si vite, avec un claquement sec qui coupa le cliquetis des chaînes, que je n'eus même pas le temps de jeter un coup d'œil à l'intérieur. À côté de la palissade, s'élevait un immeuble de brique rouge, dont les fenêtres étaient protégées par des barreaux de fer. Je levai de nouveau les yeux vers ma sœur :

— La prison, me dit-elle. Et ces hommes, la chaîne de forçats.

Quand elle fut si près de devenir une grande ville qu'elle se vit forcée de construire une foule de nouvelles rues, Victoria fit l'acquisition de « Lizzie ». Ce monstre tapageur s'approchait en reniflant d'un tas de pierres puis, ravitaillé par des seaux en fer mus par une chaîne sans fin, mâchait ces pierres et les recrachait sous forme de gravier propre à la construction des routes. À partir de ce moment-là, les forçats n'eurent plus besoin de casser de cailloux. Lizzie les mâchait à leur place tandis qu'eux travaillaient maintenant à l'entretien des parcs entourant la résidence du gouverneur et les édifices du Parlement.

Lizzie trouva longtemps sa pâture sur la colline de Marvin — du côté donnant sur James' Bay et les bancs de vase — où se trouvaient de grandes quantités de pierres. Les chevaux détestaient sa pente abrupte qui semblait tirer en arrière les lourds cabriolets. Aussi, fins finauds, la remontaient-ils en zigzaguant, c'est-à-dire qu'ils faisaient semblant de ne pas la monter du tout, mais seulement de faire sur la route poussiéreuse, des dessins rappelant ce genre de clôtures.

La colline de Marvin et la colline de l'église se dévisageaient, l'œil mauvais. Entre les deux, gluants et pestilentiels, souriaient les bancs de vase. La rue Blanshard descendait la colline de Marvin jusqu'en bas, puis remontait la colline de l'église. Le plus profond de sa plongée était situé entre la rue Humboldt, au nord, et le sommet de la colline de Marvin. La ville avait fait construire un trottoir sur pilotis, pour rendre l'ascension plus facile aux piétons. Nous l'utilisions tous les dimanches pour nous rendre à l'église. C'était d'ailleurs le moment le plus amusant de cette marche de deux milles. De ce trottoir haut perché, nous pouvions voir, au-delà des bancs de vase, le pont de James' Bay et, dans la rue Humboldt, Kanaka Row, une rangée de cabanes dont le menton reposait sur la rue et les longues pattes de derrière s'enfonçaient dans la vase. Kanaka Row était habité par des travailleurs mariés à des Indiennes, et c'est le dimanche que les femmes lavaient le linge de leur mari. Tandis que chemises et pantalons claquaient au vent sur les cordes à linge, les hommes, eux, faisaient la grasse matinée.

Au coin des rues Humboldt et Blanshard, se dressait l'église épiscopale réformée et, sur le coin diagonalement opposé, se trouvait le saloon White Horse. Sous la rue Blanshard, il y avait un canal d'écoulement en brique. Il se déversait dans une fondrière, dont les eaux, avant de se jeter dans la mer, serpentaient dans les bancs de vase. Sur les hauteurs, du côté de la rue Belville, on apercevait les maisons du gouverneur Douglas et du docteur Helmcken. Nous étions magnifiquement placés sur notre haut trottoir pour voir ce qui se passait en bas. L'école du dimanche de l'église épiscopale réformée voisinait avec l'église du même nom. Les élèves y entraient ou en sortaient presque toujours au moment de notre passage. De chaque côté des marches il y avait de magnifiques glissoires sur lesquelles bien des garçons avaient dû user leur fond de culotte! L'école était entourée d'une véritable jungle d'églantiers ; puis venait la boue, que bordait l'herbe des marais.

Il y avait généralement des Indiens qui campaient sur les bancs de vase. Ils halaient leurs canots jusqu'au bord du marais et, les recouvrant de leurs tentes, s'en servaient comme abri ; ou bien ils dressaient leur tente sur la berge. Des volutes de fumée s'élevaient de ces campements. S'ils aimaient cet endroit, c'était surtout parce que, pendant des années, la ville avait utilisé les bancs de vase comme décharge municipale. Des tombereaux bleus, adossés au rebord de la rue Blanshard, y avaient régulièrement déversé leurs charges hétéroclites : vieilles hardes, vieux poêles, voitures d'enfants éventrées, vaisselle cassée, lits bancals, etc. Les Indiens passaient tout au peigne fin, rapportant dans leurs canots ce qui pouvait leur être utile à la maison. La marée montante emportait les canots. Lançant un dernier appel à leurs chiens attardés dans les ordures, les Indiens couraient les rattraper, en barbotant dans la vase. Il était fascinant de les suivre des yeux, pour voir s'ils arriveraient à temps pour les soustraire à la mer.

Ce qu'il restait d'immondices faisait la joie des goélands. Avec des cris perçants, ils fondaient sur le marais et remontaient triomphalement, tels des rois étrennant une couronne.

On pouvait voir tout cela de notre nid d'aigle, sans compter, de l'autre côté de la passerelle, le jardin du couvent. Dans les sentiers, les bonnes sœurs marchaient deux par deux ; devant elles, la longue file des pensionnaires serpentait entre les plates-bandes. Avec leurs voiles qui se gonflaient et s'agitaient au vent, on eût dit que les saintes femmes chassaient le serpent du paradis terrestre.

Au sommet de la colline de Marvin le monstre dévoreur de cailloux dressait son squelette silencieux. Le dimanche, il n'avait en effet, rien à se mettre sous la dent. Mon père évaluait d'un œil sévère le travail de la semaine. Lizzie était, après tout, une invention américaine qui avait coûté fort cher à la ville. Et mon père, en bon citoyen, était un de ses contribuables.

La rue Cook

La rue Cook croisait la rue du Fort juste au-dessous de l'endroit où celle-ci, se transformant en pente et se peuplant de belles demeures, devenait résidentielle.

Il y avait bien quelques maisons à peu près convenables qui débordaient de la rue du Fort dans la rue Cook ; mais à mesure que cette rue descendait vers le sud, elles se faisaient plus petites, moins cossues, plus espacées. Au chemin Fairfield, sauf sur la carte de l'hôtel de ville, la rue Cook cessait tout à fait de mériter le nom de rue. Entre le chemin Fairfield et la mer, ce n'était plus, à partir des fermes laitières des King et des Smith, qu'un étroit bourbier couvert de choux puants. Les vaches regardaient en salivant, entre les perches des clôtures, cette « rue » verdoyante, où les buissons étaient en réalité si épais et si enchevêtrés qu'à leurs pieds, dans la viscosité du bourbier, ils n'arrivaient même plus à identifier leurs propres racines.

L'été, le marais s'asséchait quelque peu — c'est-à-dire suffisamment pour qu'en son milieu les godillots des écoliers puissent y tracer un sentier. Serpentant entre les flaques et les racines noueuses, dans l'odeur fétide du chou puant et de l'herbe à chat, ce sentier servait de raccourci aux écoliers.

Les hivers où il pleuvait beaucoup, cette soi-disant rue disparaissait sous l'eau, de même que les champs environnants. Elle prenait alors le nom de King's Pond* et, après quelques bonnes gelées, servait de patinoire.

Lorsque les bancs de vase de James' Bay se furent trop urbanisés pour pouvoir servir de dépotoir, les petits tombereaux bleus allèrent déverser leurs charges au bout de la rue Cook, là où elle n'était encore qu'un bourbier fangeux. Le contenu de chaque tombereau servait de point d'appui aux chevaux, pour y enfoncer leurs sabots au voyage suivant. Les tombereaux allaient et venaient, basculant pour vider les ordures au bord du chemin, éclaboussant partout. C'est ainsi que, petit à petit, durcies par les sabots des chevaux et les semelles enfantines, les vidanges servirent de fondation à la rue Cook. Celle-ci se raffermit lentement, à partir du milieu, puis graduellement, des deux côtés, jusqu'aux clôtures. De temps en temps, on jetait une charge d'argile, en provenance de travaux d'excavation, sur les bassines, les poêles, les vieilles bouilloires et les lits, le tout se solidifiant peu à peu. Le métal rouillé n'eut pas trop de toutes nos années scolaires pour tomber en poussière. Ce qui était mou pourrissait, en se couvrant de moisissure, ou bien se transformait en une sorte de gelée qui, avec le temps, durcissait à son tour, pour être finalement réduite elle aussi en poussière.

Il fallut des années avant que se consolidât la base de la rue Cook, entre les chemins Fairfield et Dallas. À cet endroit, sur la carte, la mer déferlait sur la grève, au pied des falaises.

Quand je sortais mon poney, le vieux Johnny, après l'école, pour lui faire prendre l'air, j'adorais me promener parmi les tas d'ordures de la rue Cook. Bien en sécurité, j'observais, du haut de ma selle, les églantiers épanouis dans les poêles éventrés, le chou puant qui poussait dans les voitures d'enfant défoncées, et les lits, tombés la tête en bas, où personne jamais plus ne se reposerait.

Plus la ville grandissait, et plus les ordures ménagères s'amoncelaient. La capeline grise de la vieille Tina surgissait ici et là, à tout moment. Fouillant du bout de son bâton, elle enfouissait dans son sac, d'une main griffue, ses précieuses trouvailles. À peine plus audibles que les craquements de la désintégration am-

---

* L'étang du roi.

biante, ses marmonnements d'épave humaine s'élevaient des immondices. La pauvre vieille faisait elle-même partie de la fraternité des laissés-pour-compte. De retour dans son taudis, elle étendait par terre ses glanures, leur parlant dans son jargon particulier comme à de vieux amis.

Le jour arriva enfin où tous les vides furent comblés et tous les interstices remplis de glaise. La rue Cook présenta alors une surface dure et égale. Une fois drainée et pavée par la municipalité, elle devint une grande route, menant de la ville à la mer. De nouvelles maisons, entourées de beaux jardins, y alignèrent leurs façades et les fermes laitières déménagèrent à la campagne.

La ville possédait maintenant un service de vidanges digne de ce nom. Les ordures étaient dorénavant empilées sur des barges et jetées au large. Mais, se sentant abandonnées, les vieilles bouilloires et autres pièces de rebut, revenaient lentement, portées par les vagues, jusqu'à la grève de la rue Cook. Privées de leur doux tapis de verdure, elles y exposaient aux yeux de tous leur laideur dénudée.

En passant du stade des fermes laitières à celui de quartier résidentiel, la rue Cook connut l'époque des potagers chinois. Du matin au soir, dans les champs environnants, des maraîchers en blue-jeans plantaient, désherbaient, arrosaient, penchés sur le sol. Ils apportaient l'eau du puits dans des bidons d'huile à lampe vides, d'une capacité de cinq gallons, suspendus à chaque bout d'une tige de bambou, portée sur l'épaule. Avançant entre les rangs de légumes, ils arrosaient chaque plant, en s'inclinant de côté et d'autre.

Le moment venu d'aller les vendre, les Chinois empilaient leurs légumes dans de grands paniers de bambou, suspendus à une perche. Tout comme ils avaient apporté de l'eau à leurs plantes, ils trottinaient de porte en porte, offrant leurs produits aux citadins.

Le service des eaux

À Victoria, ceux qui ne possédaient pas de puits, durent d'abord acheter leur eau du marchand qui la colportait dans un grand baril monté sur roues. Elle leur fut ensuite apportée dans des tuyaux de bois, de la source de Spring Ridge, dans la banlieue nord de la ville. Trois sources aux eaux délicieusement pétillantes, alimentaient en fait Victoria : celle de Spring Ridge, une autre à Fairfield et la troisième à Beacon Hill. Les gens allaient remplir leurs seaux à la source la plus proche.

Mon père avait tellement peur du feu, qu'il avait fait creuser de nombreux puits sur sa propriété et construire deux grandes citernes remplies d'eau douce. Les habitants de Victoria plaçaient tous, par ailleurs, un ou deux barils aux quatre coins de leurs maisons, pour recueillir l'eau de pluie. Un puits profond, au fond duquel jaillissait une source, se trouvait directement sous notre cuisine. Il y avait aussi deux pompes placées côte à côte, l'une servant à tirer l'eau du puits, l'autre, l'eau de la citerne. La première était une eau dure et limpide ; la seconde, une eau brunâtre et douce.

Ce fut tout un événement lorsque l'on amena à la ville, par canalisation, l'eau de Beaver Lake. On fit poser des robinets dans toutes les cuisines. On perça les murs pour y placer des appentis surmontés de bouches d'aération, dans lesquels furent installées les nouvelles salles de bains. Grâce à l'arrivée de l'eau courante, on construisit des égouts. Envolés à jamais des fonds de cours les minables cabinets extérieurs ! Victoria devenait enfin une ville chic et moderne.

Papa nous fit aménager, au-dessus de la véranda, une magnifique salle de bains. Deux des murs en étaient entièrement vitrés et encadrés de vigne grimpante. Au printemps, lorsqu'on ouvrait les fenêtres, son parfum embaumait toute la pièce. Avant la venue de l'eau courante, mon père avait tenté plusieurs fois de nous installer une salle de bains. Il avait d'abord cru bon d'utiliser une petite pièce située du côté nord de la maison. Pour qu'on puisse se servir de la baignoire, il avait fait placer un réservoir dans le grenier. Mais on s'épuisait à transporter l'eau chaude d'en bas dans des seaux et, de toute façon, le réservoir gelait tous les hivers. Cette première tentative se solda donc par un échec. Quant à l'énorme baignoire en bois, c'était encore mon père qui l'avait fait fabriquer sur le modèle d'un bain de bébé, et assez grande pour qu'un adulte puisse s'y allonger confortablement. Très lourde, elle se rangeait sur la véranda arrière. Avant de partir pour la ville le samedi soir, Bong la traînait dans la cuisine. Les femmes de la famille passaient alors des heures à la remplir et à la vider avec une grande louche, jusqu'à ce que toute la famille ait pris son bain. En plus de ce monstre du samedi soir, nous avions sous nos lits des tubs en bois peints en blanc, que nous remplissions d'eau froide chaque soir, et dans lesquels nous étions censées nous plonger tous les matins, «pour nous endurcir». Malheur à celle qui n'aurait pas eu le nez bleu de froid en se présentant au petit déjeuner!

Papa essaya plus tard d'aménager une salle de bains contre la buanderie, à l'autre bout de la cour. Un long tuyau en fer blanc, rattaché à la pompe de celle-ci, y amenait l'eau froide ; mais l'eau chaude devait être apportée de la bassine à lessive placée sur le poêle. Ce n'était guère pratique. Cette deuxième tentative ne fut donc pas mieux réussie que la première. De plus, on risquait chaque fois d'attraper froid en retraversant la cour. La baignoire en bois revint dans la cuisine le samedi soir, et ce, jusqu'à ce qu'on ait installé l'eau courante.

Quel délice de voir couler l'eau de Beaver Lake du robinet de votre cuisine et de bénéficier des merveilles de la plomberie! Les mères poussèrent des soupirs de soulagement lorsque l'on condamna les puits et qu'elles n'eurent plus à redouter qu'un de leurs enfants s'y noie! Tout le monde fut au comble du bonheur... jusqu'à la première gelée.

Les hivers étaient jadis très froids à Victoria. On pouvait patiner, aller en traîneau, et le vent du nord soufflait parfois durant trois ou quatre jours d'affilée. Les plats de lait que ma mère mettait à cailler dans la dépense gelaient. On en cassait à la surface des morceaux de crème glacée, pour accompagner notre porridge, le matin. Le gros poêle ne dérougissait pas dans le grand hall et le feu flambait constamment dans trois ou quatre de nos cheminées. Malgré cela, la viande, le pain, tout gelait dans la maison. Le frimas couvrait les fenêtres de ravissants motifs, et notre haleine s'envolait en vapeur.

À la première gelée, donc, on découvrit le pot aux roses. Débordés par la demande, les plombiers avaient négligé d'isoler les tuyaux! Pour comble de malheur, la plupart des salles de bains ayant été construites du côté nord, tout gela — sauf le puits sous notre cuisine. Les voisins se précipitèrent sur notre pompe, transformant la cuisine de notre pauvre mère en vaste mare — à cause de la neige fraîchement tombée qu'ils transportaient avec leurs bottes — et la livrant au vent du nord. Tout le monde se mit à maugréer contre la fameuse plomberie moderne, et quand, au moment du dégel, les tuyaux éclatèrent, tous auraient souhaité pouvoir renvoyer l'eau à Beaver Lake!

Une fois engagée sur la voie de la modernisation, la ville de Victoria s'enticha de toutes sortes d'idées nouvelles. On ne laissa plus les vaches se promener en liberté dans les rues ni brouter le long des fossés. Ces derniers furent remplacés par des égouts couverts, et si l'une de vos vaches avait le malheur de s'aventurer dans la rue on vous la confisquait, et vous deviez payer pour la ravoir. Les chiens, tout en pouvant toujours circuler librement, faisaient l'objet d'une taxe. D'autre part, les gens qui possédaient un cochon devaient dorénavant le garder à une distance réglementaire du nez de leurs voisins. Jim Phillips dut ainsi abandonner sa ferme de James' Bay et déménager sa soue à la campagne. Les petites fermes comme la sienne étaient très recherchées, en vue d'être divisées en lotissements. On voyait à tout moment décharger un peu partout du bois de charpente et, dans le temps de crier ciseau, ce bois s'était transformé en maison habitée!

En face de chez nous, le grand champ de navets de Jim Phillips devint le parc Caledonian, un terrain de base-ball et de la crosse. Il était entouré d'une haute palissade et il fallait payer pour y être admis. L'entrée du parc était située en face de chez nous, au coin des rues Simcoe et Carr. À l'intérieur, dans un bâtiment de bois blanc, long et bas, qui servait de vestiaire aux joueurs, habitait Bob Foster, leur entraîneur. C'était un de ces moutons noirs venus d'Angleterre, un brave homme, certainement, mais qui aimait trop la bouteille. Il entraînait les équipes, massait les joueurs, pansait leurs blessures; et ceux-ci, en retour veillaient sur lui. Pour alimenter ses dîners, il avait appris à son petit chien blanc à attraper les poules du voisinage. Le bruit de ces ripailles, qui duraient parfois toute la nuit, nous parvenait au-dessus de la haie du jardin et nous faisait faire de mauvais rêves.

Au bout d'un certain nombre d'années, le bail ayant expiré, le parc Caledonian fut divisé en lotissements. Toutefois, avant qu'on n'abatte sa palissade, il accueillit le cirque Barnum and Bailey, avec ses trois pistes et sa ménagerie. Le cirque arriva de nuit, sans faire de bruit, alors que nous dormions à poings fermés. Mais dès l'aube, de jeunes garçons avaient les yeux rivés aux trous des planches de la palissade, et la vue des hauts chapitaux, pointant vers le ciel, nous mit au comble de l'excitation.

Les gamins qui portaient l'eau aux bêtes reçurent des billets gratuits. Lorsque tous les animaux furent désaltérés — y compris les éléphants et les chameaux avec leurs sept estomacs! — un petit garçon arriva pour travailler; mais il était trop tard. Au bord des larmes, il vit soudain jaillir d'une des tentes, un grand homme maigre.

— Écoute, petit, dit celui-ci hors d'haleine, j'ai absolument besoin d'une chemise de soirée d'ici une heure! Va m'en chercher une chez ton père et je t'offre un billet.

Le petit prit ses jambes à son cou.

— Si ton père est gros, apporte-moi aussi des épingles de sûreté!

Après avoir plaidé sa cause auprès de sa mère, non seulement l'enfant entra finalement sans payer sous le grand chapiteau, mais il put se vanter d'avoir épinglé la chemise de son père sur un vrai clown! expérience encore plus excitante que d'apporter à boire à un éléphant!

De la rue Carr à James' Bay

Chaque matin, quand papa partait pour la ville, je l'accompagnais jusqu'à la grille. Celle-ci était flanquée de deux peupliers de Lombardie, si grands que leurs faîtes se perdaient dans le ciel. Si l'on avait réussi à grimper jusque-là, j'étais sûre qu'on aurait pu susurrer des choses à l'oreille du bon Dieu.

Mon père avait planté ses peupliers alors qu'ils n'étaient qu'abrisseaux. Ceux qui se trouvaient de chaque côté de l'entrée de la grille étaient les plus grands.

En grandissant, je pus accompagner mon père de plus en plus loin. À sept ans, j'allais jusque chez les Lindsay.

On se levait de bonne heure à la maison. J'arrivais en bas toute propre, mais je trouvais généralement le moyen, avant le moment du départ, de me crotter en jouant avec mes grands amis, les poules et les canards. Et puis, je m'asseyais toujours un moment aussi à côté du chien Carlow, enchaîné à sa niche. Il me couvrait de poussière avec ses pattes et sa chaîne, et, comme j'allais ensuite arroser mon petit coin de jardin, l'eau qui fuyait de mon arrosoir transformait cette poussière en boue.

Une fois décidé, papa était pressé de partir. Maman m'avait donc fabriqué un tablier de mousseline, qui se passait par-dessus la tête et n'avait par conséquent pas de boutons à arracher. Il était froncé tout autour et était retenu à l'arrière, sous la jupe, par un galon. Le devant tombait droit, mais l'arrière était ramassé en tournure, comme pour les dames. Avec mes bottines boutonnées, à empeigne de toile, et ma capeline, je devais être assez mignonne, j'imagine, quand nous partions ainsi, papa et moi.

Papa marchait vite et me serrait la main très fort. Le trottoir était juste assez large pour que nous puissions tous deux marcher de front et, si on ne faisait pas attention, on se retrouvait un pied dans la boue. On ne parlait pas beaucoup, parce que papa pensait à tout ce qu'il avait à faire ce jour-là dans son important magasin de gros, où les barils et les boîtes s'entassaient jusqu'au plafond. Lorsqu'il se perdait ainsi dans ses réflexions, un fossé se creusait entre ses sourcils. Je n'osais pas alors bavarder en marchant, et me contentais de regarder autour de moi. C'est en rentrant à la maison un jour que je fis la connaissance des «dames».

Notre rue s'appelait la rue Carr, d'après mon père. Nous avions une très belle maison et un très beau jardin.

En face de notre grille, s'étendait le champ inculte de l'évêque Cridge. Rempli d'arbres, de buissons et de troncs renversés, c'était l'endroit idéal pour «jouer à la dame» avec d'autres petites filles. Au-delà de ce champ, se trouvaient la demeure et le jardin de l'évêque. Une allée circulaire, bordée de lauriers et de roses, cachait la maison. Ensuite venait le grand champ de l'évêque, avec, en coin, la grange où vivaient son cheval et ses vaches. Ce champ était si vaste qu'il occupait tout le reste de la rue Carr. Il y avait là un puits où les Cridge puisaient leur eau. Chaque matin, leur boy venait y remplir deux bidons (de ces bidons carrés utilisés pour l'huile à lampe) qu'il portait suspendus à chaque extrémité d'une tige de bambou maintenue en équilibre sur son épaule. En trottinant, il versait un peu d'eau sur les chaumes.

Revenant à notre côté de la rue Carr, au bout de nos peupliers commençait la propriété des Fawcett, une famille avec des douzaines d'enfants, énormes et frisés. Leur mère, ainsi qu'elle l'avait confié à la mienne, leur faisait toujours des vêtements trop grands «pour leur permettre de grandir». Mme Fawcett était très grosse, elle aussi, avec des cheveux crépus et le cou de travers. Le père, lui, était au contraire un grand échalas à la barbe longue et rare.

Venait ensuite le champ de l'évêque — celui de l'évêque Hill et non celui de l'évêque Cridge. Il n'y habitait pas, mais ses vaches y broutaient. Dans un taillis, au coin du champ, poussaient des lys sauvages. Les deux évêques ne s'aimaient guère, aussi les deux clôtures dressées entre leurs vaches étaient-elles une excellente chose. La rue Carr était bordée de palissades. Celles-ci s'arrêtaient net à la ferme de Mme McConnell où la clôture en perches leur barrait la route.

La rue Carr était une très belle rue. Son chemin de terre ondulait en tous sens, à cause des traces zigzaguantes qu'y laissaient voitures et charrettes en se croisant. Tout le reste de la rue n'était que verdure et églantiers. Un grand fossé rempli de hautes herbes, la bordait de chaque côté. En se rendant au pâturage, au bout de la rue Carr, près de la plage, les vaches en arrachaient de grandes touffes à mâchonner. Devant notre propriété, papa avait fait aménager une allée de gravier ; mais, au-delà de nos peupliers, nous devions nous contenter d'un trottoir fait de deux simples planches.

Arrivés à la ferme de Mme McConnell, papa et moi tournions dans la rue Toronto. C'était une rue bien moins belle que la nôtre, pourvue d'un trottoir d'une seule planche, de sorte que nous devions marcher à la queue leu leu. L'unique fossé était étroit et peu profond. À « Marifield Cottage », nous nous engagions dans l'avenue Princess, une rue encore plus petite, sans fossé ni même de trottoir. Ce n'était plus à vrai dire qu'une bande verte coincée entre deux clôtures. Lorsqu'une charrette se présentait à chaque bout, l'une d'elles devait forcément faire marche arrière.

D'un côté de l'avenue Princess, se trouvait le jardin de l'oncle Jack. Bien que celui-ci n'ait été l'oncle de personne, tout le monde l'appelait ainsi. C'était un homme très bon qui vivait de menus travaux. Quand mon père l'employait, il nous emmenait faire un tour dans sa charrette. Celle-ci n'avait pas de siège, seulement une planche placée en travers ; quand la planche glissait, l'oncle Jack nous rattrapait. Sa propriété était entourée d'une clôture si haute que rien n'en dépassait, si ce n'est le faîte des lilas et des aubépines, dont le parfum basculait jusqu'à nous.

En face de la propriété de l'oncle Jack se trouvait la maison de Mme Swannick. Cette dame n'avait pas ce que l'on pourrait vraiment appeler un nez : seulement une ride avec deux trous. Son fils était extrêmement malade. À cause de cela, et avant sa mort, mon père lui avait fait parvenir une bouteille de cognac. Touchée jusqu'au fond du cœur, Mme Swannick s'était écriée à travers ses larmes, en levant les bras au ciel : « Seigneur, c'est du Trois-Étoiles ! »

On arrivait ensuite à la maison de Mme Robinson, une dame dont la grande amie habitait un peu au-delà de chez nous. Chaque jour, Mme Robinson rendait visite à Mme Johnson, et Mme Johnson la raccompagnait chez elle. Mme Robinson reconduisait alors de nouveau Mme Johnson, et ainsi de suite jusqu'à ce que, s'arrêtant enfin devant notre grille — qui se trouvait environ à mi-chemin de leurs propriétés respectives — chacune rentrât chez elle en courant. Ces deux dames s'aimaient beaucoup.

La dernière maison de l'avenue Princess était celle de Mme Lipsett, une dame maigre, au visage très rouge et aux nez, menton et coudes pointus. Elle était toujours en train de brosser ou de secouer quelque chose, sans qu'il en sorte jamais de poussière. Dans ses bras squelettiques, elle portait ses énormes matelas jusqu'aux fenêtres, d'où elle les laissait pendre — aussi bas que possible sans les faire tomber — pour « qu'ils prennent un peu de soleil ». La vue des matelas de Mme Lipsett mettait Mme Jack dans tous ses états. C'est la raison pour laquelle « l'oncle » avait fait construire cette haute clôture qui entourait sa propriété jusqu'à la rue Michigan, cachant les matelas, bien sûr, mais bouchant en même temps toute vue sur l'extérieur et créant beaucoup d'ombre. Cette pauvre Mme Jack vivait pour ainsi dire « en arrière » du monde. Le devant de la propriété de Mme McConnell touchait la clôture de l'oncle Jack.

Mme McConnell était une femme splendide, que j'aimais beaucoup. Elle avait une voix si forte qu'on l'entendait au même moment dans les rues Toronto et Michigan, et dans l'avenue Princess. Elle avait trop à faire pour être toujours en train de courir après ses enfants, ses vaches, ses cochons, ses oies et ses poules. Elle se plantait donc au milieu de sa cour, et appelait : « Tommy, Lizzie, Martha-Anne, Spot, Brownie, Daisy. » Tous accouraient aussitôt. De même, ses « Venez, venez, venez, mes poulettes » soulevaient des bruissements d'ailes. Quelque chose ou quelqu'un courait toujours vers Mme McConnell qui étendait les bras et semblait ainsi couvrir et protéger tout ce qui vivait dans sa propriété.

Mme McConnell travaillait très fort. Elle vendait du lait, des œufs, du beurre et du porc. Elle laissait les gens prendre un raccourci en passant par chez elle, pour éviter ainsi de faire le grand tour par l'avenue Princess. Papa n'en profitait pas, mais moi j'aimais bien rendre visite à Mme McConnell en rentrant à la maison. Elle m'appelait « ma jolie » et me montrait ses veaux et ses cochons de lait. Elle me disait que j'étais « un gentil petit lapin » de reconduire mon papa à la ville tous les matins — alors qu'en réalité c'était lui qui me permettait de l'accompagner. Mme McConnell était une Irlandaise aux joues rouges et aux yeux pétillants. Elle avait les cheveux noirs et de longues dents avec de grands vides là où il lui en manquait. Quand elle riait, on voyait très bien les vides. On aurait dit que les fenêtres de Mme McConnell et de Mme Cameron étaient des lunettes qui épiaient l'avenue Birdcage.

Je ne me souviens pas très bien de ce qu'il y avait au coin de l'avenue Birdcage en face des « lunettes » de Mme Cameron. Mais je sais que Mme Cameron possédait aussi beaucoup de vaches et une grange surmontée d'un petit moulin dont le vent faisait tourner les ailes en s'engouffrant dans la rue. Mme Cameron avait des cheveux très blancs retenus par un filet brun, un visage couperosé, au menton duveteux, et une bouche édentée dans laquelle elle faisait rouler, en parlant, une langue rose. C'était une très gentille vieille dame. Elle avait deux filles. Jessie, l'aînée, avait le nez retroussé et une bouche qui se retroussait aussi quand elle riait ; lorsqu'elle saluait ses amis, elle renvoyait d'abord la tête en arrière, puis la ramenait brusquement en avant comme si elle éternuait. La cadette, Agnès, était très intelligente. Maîtresse d'école, elle avait de fréquentes disputes avec son conseil d'administration. Elle écrivait aussi des choses que l'on publiait.

Les « lunettes » de Mme McConnell donnaient sur le champ de Mme Plummer, situé en face, au coin de la rue Michigan et de l'avenue Birdcage. La maison de Mme Plummer se trouvait juste au milieu du champ. C'était un cottage au toit en tôle ondulée, entouré d'une véranda. Ce qu'il y avait de plus merveilleux dans cette maison, c'étaient ses portes-fenêtres qui permettaient à Mme Plummer de s'élancer dans son jardin de n'importe quelle pièce de la maison, sans avoir à passer par aucun couloir — comme une hirondelle s'envole d'un talus. C'était sans doute pour cette raison qu'elle avait construit une maison avec tant de portes. Son jardin était entouré d'une petite clôture, pour empêcher les vaches de venir manger ses fleurs. À cause de ces deux clôtures, je ne rencontrai jamais Mme Plummer ; mais il m'arrivait parfois de l'entrevoir. Elle avait le visage tout rouge, la taille épaisse, et elle portait toujours une robe violette. Pour moi, elle était « Mme Plum * ». Si une vache étendait le cou au-dessus de la clôture de son jardin, elle jaillissait d'une de ses portes-fenêtres en battant un paillasson et en faisant : « Oust! va-t-en sale bête! » J'espérais toujours voir Mme Plummer sortir en courant, quand nous passions.

L'avenue Birdcage aurait été une magnifique avenue, sans une rangée de petites maisons qui la séparaient des édifices du Parlement. Et sans James' Bay Ridge ** qui la coupait en deux, aurait été le prolongement de la rue Government, la rue la plus

---

* Mme Prune.

** La crête de James' Bay.

importante de Victoria. Telle quelle, c'était une belle avenue, bordée de chaque côté d'un trottoir de planches assez large pour qu'on puisse s'y croiser, et dotée aussi d'un canal d'écoulement à ciel ouvert.

Au coin de l'avenue Birdcage, tout de suite après le champ de Mme Plummer, habitaient les Wilson. Ils avaient beaucoup d'enfants et un magnifique pin — qui n'était pas du tout un pin, d'ailleurs, mais un arbre venu d'un pays étranger. Pour aller jouer sur la pelouse, les enfants descendaient les trois marches du jardin. M. Wilson était un homme trapu, ramassé sur lui-même comme s'il vait dû, en grandissant, soulever quelque chose de très lourd. Mme Wilson avait, au contraire, tout d'un oiseau, jusqu'à son petit nez pointu. À l'endroit où se terminait la raie de ses cheveux, elle portait une minuscule frange.

Venait ensuite la partie « cage d'oiseau » de l'avenue Birdcage : une série de drôles de petites maisons, chacune avec sa cheminée — comme une poignée pour la suspendre — juste au milieu du toit. Mlle Wylie, dont nous avons déjà raconté les conversations avec son frère Charlie (Charlie et Tilly), habitait la première de ces maisons. Cette vieille dame était très craintive. Quand elle venait rendre visite à ma mère, elle l'en avertissait toujours d'avance, afin que j'aille au-devant d'elle, tellement elle avait peur de rencontrer une vache. Je me sentais très brave quand je marchais dans la rue Carr entre le fossé et Mlle Wylie, en suçant une de ses pastilles de menthe. Surtout lorsqu'il y avait une vache dans le fossé et que je pouvais regarder en plongée son dos et ses cornes.

Mme Green, la dame qui habitait la « cage d'oiseau » devant chez les Wylie, se montrait très gentille envers eux à cause de leur grand âge. C'étaient des gens importants que les Green : M. Green était banquier. Comme ils avaient beaucoup d'enfants, ils avaient été obligés de construire des tas de rajouts à leur maison ; jusqu'à ce que finalement elle n'eut plus la moindre ressemblance avec une cage d'oiseau. Les enfants Green étaient vraiment comblés. Ils avaient un cheval à bascule, des poupées avec de vrais cheveux, des voitures de poupées, leur propre pavillon d'été et un jeu de croquet. Chaque hiver, ils donnaient une fête autour de leur arbre de Noël, et tout le monde recevait un cadeau. La clôture des Mason longeait, à un bout, la pelouse des Green. Elle état couverte de lierre où s'égaraient continuellement les balles de croquet. Les Mason habitaient une maison grise. Leur fils Harvey était une brute qui aimait torturer nos poupées.

Nous arrivions alors devant la maison des Lindsay, située juste en face du pont de James' Bay. Papa se pliait en deux pour m'embrasser. Comme de l'autre côté du pont il y avait des saloons à chaque coin de rue, je n'avais pas la permission d'aller plus loin. Je faisais un signe de la main à mon père, après quoi j'étais libre.

Je jetais un coup d'œil entre les troncs des lilas des Lindsay. Leur barrière comportait une tonnelle et, pour aller dans le jardin, il fallait descendre deux marches. Après celle de Mme Plummer, la propriété des Lindsay était ma préférée. Au centre de leur jardin, il y avait un magnifique massif de fleurs rond, entouré d'un petit sentier. Le reste du jardin n'était que buissons et arbustes. Tout ce qui sentait bon poussait dans le jardin des Lindsay, peut-être pour couvrir les mauvaises odeurs qui émanaient parfois des bancs de vase, sous le pont. Il y avait des résédas, et puis toutes sortes de roses : roses-choux, petites roses jaunes, roses rouges, roses moussues. La maison disparaissait sous le lierre, le chèvrefeuille et les clématites, sans compter les lilas, d'un violet beaucoup plus foncé et d'un parfum beaucoup plus délicieux que partout ailleurs.

Sur le chemin du retour, tout le monde me saluait d'un petit signe de tête, à l'exception de Mlle Jessie Cameron qui, elle, me saluait vraiment comme si j'avais été une grande personne.

Je prenais souvent le raccourci par la ferme de Mme McConnell. Sans cesser de courir, elle ne manquait jamais de m'accueillir. « Ah, te voilà, ma jolie ! » s'exclamait-elle. Je prenais toujours soin de bien refermer ses barrières.

Un matin, ma mère me remit un magnifique bouquet en me disant de ne pas aller plus loin, avec papa, que chez Mme McConnell, à qui je devais remettre les fleurs, en précisant qu'elles étaient pour son bébé.

Je frappai à la porte... tout était silencieux. Puis, plutôt que de crier « Entrez », Mme McConnell vint m'ouvrir sans faire de bruit. Elle avait les yeux tout rouges.

— Ma mère vous envoie ces fleurs pour le bébé, Mme McConnell.

— Viens les lui donner toi-même, ma jolie.

Me prenant par la main, elle me fit entrer. Je regardai autour de moi, m'attendant à voir le bébé dans sa voiture. Je m'apprêtais à lui lancer les fleurs et à le voir éclater de rire, quand je me rendis compte que sa petite voiture n'était pas là. Au milieu de la pièce, sur une table, on avait placé une boîte blanche. Mme McConnell mit ses mains sous mes bras et me souleva afin que je puisse regarder dedans. Le bébé y était couché, et il semblait dormir, sauf que ses yeux n'étaient pas tout à fait fermés.

— Embrasse-le, ma jolie, me dit Mme McConnell.

Je baisai la joue du bébé. Elle était dure et froide. Je laissai tomber les fleurs sur ses pieds. Mme Cameron entra à ce moment-là, ce qui me permit de m'esquiver et de rentrer en courant à la maison.

— Maman, pourquoi le bébé de Mme McConnell est-il si froid et si bizarre ?

— Tu as vu le bébé ?

— Je l'ai embrassé, comme Mme McConnell m'a dit.

Ma mère parut contrariée. Elle me parla de la mort, sans que j'aie pu vraiment saisir le sens de ses propos. Par la suite, j'évitai pendant longtemps de prendre le raccourci, faisant plutôt le tour par chez Mme Lipsett et Mme Swannick.

Le grand ennui de la rue Carr, c'était que toutes les maisons y avaient été construites en retrait, au fond des jardins. Il n'y avait donc rien à voir, sauf ce qui se passait dans la rue même. Souvent, j'apercevais le cabriolet de l'évêque qui entrait ou sortait de sa propriété, et je courais ouvrir la barrière à Mme Cridge. Ce cabriolet était une très grande voiture, large et basse. Pour éviter que Charlie n'entrave les guides d'un coup de queue, on les passait sur un crochet placé tout en haut. Charlie était un vieux cheval paresseux qui n'allait jamais qu'au pas. Vous pouviez monter et descendre de la voiture en mouvement. Étant donné que Charlie était si difficile à faire repartir, on ne l'arrêtait jamais. Les jours où Mme Cridge était très pressée, elle se levait et faisait claquer les guides sur son dos. D'un coup de queue, le cheval les coinçait alors si fermement, que Mme Cridge ne pouvait pas conduire du tout et qu'elle était obligée de se pencher en avant pour tenter de les extirper. Le visage cramoisi et la capeline de travers, elle se contentait de s'éclaircir la gorge et de murmurer « Oh Charlie! Charlie! » Assis à côté d'elle, les yeux clos, l'évêque souriait. Charlie, les guides toujours coincées sous sa queue, faisait semblant que Mme Cridge l'arrêtait. Au bout d'un moment, celle-ci ayant avec le manche du fouet réussi à dégager les guides de sous sa queue, Charlie repartait.

Chaque matin, dans la rue Carr, je croisais la fille des Johnson. Ses parents avaient un potager à deux pas de chez nous, et elle apportait des légumes à la clientèle, dans un panier. Je ne savais pas son nom et nous ne nous sommes jamais adressé la parole. Elle était plus grande que moi et plate comme une limande, avec un air docile qui me rendait folle. Une fois que je l'avais dépassée, je me retournais toujours pour lui faire la grimace. Comme elle s'en doutait, elle se retournait elle aussi. Un matin qu'elle portait un gros panier de pommes de terre, je lui fis une grimace vraiment affreuse. Elle me dévisagea si fort et si longtemps, cette fois-là, qu'elle trébucha et tomba étendue de tout son long dans la boue, en répandant toutes ses pommes de terre dans le fossé. J'éclatai de rire et l'observai tandis qu'elle les repêchait de là. Son tablier était couvert de boue. Elle l'enleva et s'en servit pour essuyer ses pommes de terre, les remettant une à une dans son panier. Elle ne leva à aucun moment les yeux sur moi et ne me dit pas un seul mot. Quand son panier fut de nouveau rempli, elle s'essuya les yeux, l'un après l'autre, puis ramassant son panier, elle reprit sa route.

Je rentrai à la maison, me sentant méprisable comme il n'est pas possible. Pourquoi la fille Johnson ne m'avait-elle pas giflée? Ou lancé de la boue, ou dit quelque chose au moins? Pourquoi?

Mon père et ma mère en discutaient... car j'étais maintenant en âge d'aller à l'école. Mais chaque fois que j'y pensais, j'éclatais en sanglots. Mes sœurs marchaient deux milles, matin et soir. En les accompagnant, je ne verrais plus ni le massif de Mme Lipsett, ni le nez de Mme Swannick, ni Mme Plummer sortant en courant, ni le salut de Mlle Jessie. Avec elles, je suivrais une route droite, horrible, sans rencontrer un seul ami... mais je ne fus pas tenue de le faire.

Mme Fraser, la dame qui était venue habiter « Marifield Cottage », ouvrit une petite école où je fus inscrite. Je continuai d'accompagner papa jusqu'à la barrière de l'école chaque matin, et le samedi, je pouvais me rendre jusque chez les Lindsay, ce qui me permettait de revoir tous mes amis.

Un samedi, j'avais envie de confier quelque chose à papa, mais les mots refusaient de sortir. Je levai plusieurs fois les yeux vers lui sans oser parler — le fossé entre ses sourcils était beaucoup trop profond... Nous avions déjà dépassé la maison des Green... nous arrivions aux marches des Mason... et maintenant, nous approchions des lilas des Lindsay.

— Papa... papa... ne penses-tu pas que... maintenant que je vais à l'école, je suis trop grande pour me faire embrasser dans la rue?

— Qui t'a dit cela?

— Les filles à l'école.

— Tant que je serai forcé de me pencher, tu ne seras pas trop grande, dit papa, en m'embrassant sur les deux joues.

Déjà grande

À Victoria, l'hôtel Driard, dans la rue Vincent, était considéré comme le sommet de l'élégance ; les visiteurs de marque y séjournaient toujours. S'asseoir derrière les grandes baies vitrées, dans ses fauteuils de peluche cramoisie, pour fixer d'un regard vide les murs ternes de l'autre côté de la rue View — si proches qu'on en louchait — et se faire dévisager par les habitants de la ville, alors qu'ils se faufilaient en jouant des coudes dans cette rue étroite d'où il n'y avait pas le moindre point de vue d'ailleurs, autant de motifs valables pour donner envie de visiter la capitale.

Le Driard était un bâtiment de briques avec de grosses portes battantes qui grinçaient quand on les poussait. Il était entièrement rouge, au-dedans comme au-dehors. Les tapis moelleux, les sofas et les fauteuils recouverts de peluche, les rideaux de reps, tout y était rouge. Cette douceur ambiante absorbait toutes sortes de bruits et d'effluves qu'elle pressait sur son cœur. Cet hôtel mélangeait diverses odeurs de renfermé qui vous assaillaient dès que vous franchissiez la porte et, léchant goulûment sur votre passage l'air frais que vous apportiez du dehors, tentaient désespérément de s'échapper. Mais la lourde porte se rabattait sur elles en grondant, les renvoyant vous étouffer. En ressortant de l'hôtel, vous étiez si imprégné de sa lourdeur, que vous auriez aussi bien pu être un de ses sofas. Jusqu'au bus de l'hôtel qui, bien qu'il n'y habitât pas, récelait son odeur. C'était un long bus cahotant, tiré par deux chevaux. Le mot Driard était peint sur ses deux côtés et, sur le marche-pied arrière, se tenait un homme qui criait « Driard! »

Échappés du Driard, des relents clandestins se cachaient dans les coussins, attendant de fondre sur les visiteurs sitôt le bus parvenu à quai.

La clientèle du Driard provenait en majorité de San Francisco, Vancouver et les villes du Sound étant trop occupées à grandir pour que leurs habitants perdent leur temps en excursions.

Rivales depuis toujours, Victoria et Vancouver se faisaient des grimaces de jalousie. Le port de Vancouver était plus beau et la ville avait grandi plus vite ; étant située en bout de ligne, elle était aussi plus facile à atteindre par le chemin de fer. En revanche, Victoria portait le nom de la reine, était la capitale de la Colombie-Britannique et abritait la base navale d'Esquimalt.

Lorsque l'Est et l'Ouest furent réunis par le chemin de fer du Canadien Pacifique, Vancouver proclama : « Ah! Ah! c'est moi qui suis en bout de ligne ; personne ne se préoccupera plus de la petite ville de Victoria sur son île. En descendant du train, colons et visiteurs resteront chez moi! »

Vancouver se peupla donc d'usines, de scieries et de quais, se développant à toute allure ; mais, malgré tous ses efforts, elle ne put empêcher Victoria d'être la capitale de la Colombie-Britannique, ni d'héberger la base navale. À leur arrivée d'Angleterre, pour être près de leurs maris lorsque leurs bateaux mouilleraient à Esquimalt, les épouses des officiers de marine s'installaient à Victoria, à un mille environ de la base.

Victoria entretenait des relations étroites avec l'Angleterre. Elle ressemblait de plus en plus aux vieux pays, alors que Vancouver prenait de plus en plus les allures du Nouveau Monde. Vancouver enviait à Victoria sa distinction ; Victoria aurait bien aimé faire autant d'affaires que Vancouver.

Ces deux villes, en attirant les pionniers jusqu'aux lointains rivages du Pacifique, furent principalement responsables du développement de l'Ouest canadien. Vague après vague, les immigrants poursuivirent leur quête, ne s'arrêtant que là où la terre, épousant la rondeur du globe, faisait se rejoindre, l'Est et l'Ouest, à travers les mers.

Les pionniers parcoururent les vastes espaces du Canada à bord des trains du Canadien Pacifique. Ils s'y trouvaient si bien, qu'ils faisaient durer le voyage le plus longtemps possible. Leur premier contact avec la terre canadienne ne s'effectuait bien souvent qu'au moment de mettre le pied en Colombie-Britannique. L'Ouest, encore à demi sauvage, leur montra d'abord les dents; mais bien qu'il en ait été séparé dans l'espace par quelque quatre mille milles de plus, il était au fond beaucoup plus près de l'Angleterre dans sa façon d'être et de sentir que l'Est ne l'était. Avec le temps, les Britanniques lui pardonnèrent ses frustes étendues, et l'Ouest leur pardonna leur étroitesse d'esprit.

Le Canadien Pacifique assista au développement de l'Ouest. À la transformation en magnifiques édifices de pierre — avec dômes et toits de cuivre dignes d'une capitale — des vieux édifices de brique, petits et bas sur pattes, du Parlement de Victoria; à la construction, en face, de l'autre côté de James' Bay, d'un bureau de poste en ciment et en pierre, aux lignes sobres. Entre les deux, le petit pont de bois cagneux de James' Bay enjambait toujours les bancs de vase. Les ingénieurs du Canadien Pacifique réfléchirent au problème et élaborèrent un rêve grandiose. Ils firent démolir le pont de bois et le remplacèrent par une large chaussée de béton. Celle-ci empêcha la mer d'envahir les bancs de vase et résista à la fureur des vagues. Pour éliminer enfin la puanteur devenue intolérable, les ingénieurs firent drainer le marécage où se déversaient les canaux d'écoulement.

La fabrique de savon Pendray et le Kanaka Row, incapables de survivre sans mauvaises odeurs, disparurent du paysage. Les résidus graisseux émanant de la fabrique de savon ne firent plus miroiter au soleil leurs reflets irisés et, la marée n'emportant plus les ordures, celles-ci s'empilèrent aux portes des cuisines qui prirent un aspect tout à fait repoussant. Desséchée, l'argile jaune des bancs de vase se craquela. L'herbe des marais où doucement, comme une caresse, se glissaient jadis les canots indiens, devint dure et cassante.

En échange d'une somme d'argent et d'une nouvelle réserve, sise à Esquimalt, la ville obtint des Indiens Songhees leurs magnifiques propriétés sur le port, dont elle avait besoin pour des fins industrielles. Tout changeait autour du petit port de Victoria. Notre conception même d'une reine Victoria petite et boulotte, due à l'*Illustrated London News*, se modifia devant l'amazone basanée dont le monument de pierre s'éleva en face du Parlement. Sans la couronne et le sceptre, nous n'aurions jamais reconnu là la marraine de notre ville.

Tandis que ces changements détruisaient le calme de Victoria, les ingénieurs du Canadien Pacifique poursuivaient leur rêve né des bancs de vase, et des architectes s'occupaient à tirer des plans. Afin de pouvoir travailler en paix, ils construisirent, tout au long de la chaussée, une grande palissade qui emprisonna le rêve dans la vase. Collé à chaque trou des planches, l'œil d'un citoyen épiait les travaux — sans entendre goutte à ce qui s'y effectuait. Au-dessus de la palissade, surgissait la tête de la pilonneuse. Boum, boum, boum ! Obéissant au sifflet poussif de son moteur, la géante pilonnait dans la vase des troncs d'arbres entiers. Debout, côte à côte, ces soldats de bois étêtés enfonçaient jusqu'en Chine les vieilles odeurs. Lorsque les bancs de vase furent entièrement boisés, on dragua le fond du port et l'on pompa la vase liquide entre les pilotis. Durant des centaines de semaines, des milliers d'hommes transportèrent des millions de brouettées de terre et de pierre concassée — jusqu'à ce que le terrain soit devenu assez ferme pour supporter le rêve des ingénieurs.

Un jour, ce rêve se transforma en réalité. La palissade enfin abattue, l'hôtel Empress apparut dans toute sa spendeur. Cet hôtel n'eut jamais l'air trop neuf et un peu vulgaire des nouvelles constructions car, tandis que l'arrière s'élevait, le devant déjà terminé se parait de lierre, d'arbustes et, sitôt partis les ouvriers, de jardins. De magnifiques serres furent construites sur l'emplacement de l'ancienne décharge municipale. Sous leurs verrières fleurirent des essences rares, venues de tous les coins du monde ; mais nulle fleur ne fut jamais aussi odoriférante, ni aussi belle, que les églantines qui avaient si délicieusement parfumé nos narines, au-dessus des bancs de vase.

Ne pouvant rougir davantage, l'hôtel Driard face à son rival, se laissa dépérir. Personne ne fut plus satisfait de s'asseoir dans ses fauteuils de peluche rouge, pour fixer des briques à deux pieds de son nez, alors qu'il était possible, assis devant de grandes baies vitrées, de contempler le charmant port de Victoria. De superbes paquebots vinrent accoster pratiquement devant l'hôtel. Des quais de Londres à la porte de l'hôtel Empress, le voyage n'était plus qu'un trajet fort agréable et ininterrompu.

Victoria cessa d'être une base navale britannique ; le Canada avait maintenant sa propre marine. Le port d'Esquimalt fut doté d'une cale sèche géante et d'une fabrique de conserves. On voyait parfois des canots entrer et sortir de la nouvelle réserve, mais la plupart des Indiens employaient maintenant des bateaux de pêche motorisés.

Victoria connut une petite vague de prospérité — ou plutôt d'agitation — mais qui ne devait pas durer. Elle préféra, suivant sa nature, adopter un mode de développement lent, calme, délibéré, voire réticent.

Ces événements grandioses — la construction des édifices du Parlement, de l'hôtel Empress et de la chaussée, ainsi que la mise en service d'un paquebot de première classe entre l'île et la terre ferme — captivèrent Victoria, qui laissa dorénavant la banlieue vibrer aux événements de moindre importance.

L'étroit bras de mer qui, long de trois milles, s'ouvrait du port vers l'intérieur — surnommé le Gorge à cause du goulot qui s'y formait à mi-cours — était considéré comme une des merveilles de Victoria. On s'était autrefois baigné dans ses eaux tempérées, et des régates y avaient été traditionnellement tenues le jour de la fête de la reine ; mais il était maintenant devenu infesté de billes flottantes et de scieries. Les baigneurs avaient poussé les hauts cris et, n'aimant pas être couverts de sciure de bois à leur sortie de l'eau, étaient allés nager de préférence dans la piscine du Y.M.C.A. et celle du nouvel hôtel Empress, le « Crystal Pool ». Le Gorge perdit son prestige de banlieue résidentielle exclusive. Les magnifiques propriétés qui en ornaient les rives se vendirent pour une bouchée de pain. Les gens cessèrent de venir, en canoë et en chaloupe, pique-niquer dans son havre. Chaque hiver, cependant, telle un vol d'oiseaux regagnant leurs nids, la flotte de schooners revenait fidèlement à ses quartiers d'hiver, situés en aval de Point Ellice, à la sortie du port, là où commence le Gorge. Un hideux pont ferroviaire chevauchait maintenant le port, parcouru par les trains allant du bout de l'île jusqu'au cœur de la ville. À l'endroit le plus reculé, une des sections du pont se relevait pour livrer passage aux chasseurs de phoques, puis se refermait lorsqu'ils étaient en lieu sûr.

Vers cette époque, Cedar Hill, une colline située au nord de la ville, commença à se donner des airs. S'élevant d'un cran, elle prit le nom de mont Douglas et, remplie de suffisance, se transforma en parc public. La montagne de Little Saanich se coiffa d'un observatoire dont le dôme blanc ressemblait à s'y méprendre à un bol à pudding placé à l'envers.

Esquimalt n'étant plus une base navale britannique, il ne s'y donna plus de bals et il n'y eut plus de simulacres de batailles, sur Beacon Hill, entre soldats et matelots. Les saloons des guinguettes avec leurs boîtes à fleurs, leurs cages d'animaux sauvages et leurs abreuvoirs pour les chevaux, disparurent le long des routes ; car il n'y avait plus d'attelages. À la place des chevaux, on entendait sur les chemins pavés et goudronnés, ronronner des automobiles. Il n'y avait plus de poussière pour donner soif aux hommes et aux bêtes.

Au sommet de la colline de l'église, la cathédrale avait été reculée l'espace d'un pâté de maisons. Au lieu de dominer la ville, elle surplombait maintenant le vieux cimetière de la rue Quadra, remplacé depuis longtemps par le nouveau cimetière de Ross Bay. Les premiers colons, plutôt que de dormir sous les orties, avaient maintenant au-dessus d'eux, une couverture de pelouse bien tondue. On avait relégué dans un coin du cimetière les anciennes pierres tombales et les stèles de bois portant les noms des défunts. Dénudées de leurs vignes grimpantes et de la débauche de broussailles qui les avaient protégées, elles et leurs morts, elle lançaient dans le vide, sous leurs noms délavés, des regards pleins de rancœur. Sur les bancs, les gens se trouvaient assis juste audessus des morts. Les enfants les foulaient aux pieds dans leurs courses, tandis que les nouvelles cloches de la cathédrale faisaient vibrer leur solitude.

James' Bay est toujours James' Bay, mais voilà longtemps que les gens élégants l'ont abandonné. Ils déménagèrent d'abord à la rue Upper Fort, ensuite à l'avenue Rockland, puis à Oak Bay, pour s'établir enfin dans les Uplands, où il leur était interdit de garder une vache, d'étendre du linge à sécher dehors ou d'avoir beaucoup d'enfants. Toute la côte du grand Victoria est maintenant couverte de magnifiques demeures.

Victoria étant plus élevée à l'intérieur que sur le littoral, tous les points de vue y sont admirables, que l'on regarde vers le nord, le sud, l'est ou l'ouest. Au sud, une mer bleue, des collines vertes et les monts Olympiques aux pics couverts de neige éternelle, bordent l'horizon ; de petites baies, des plages où s'amoncellent le varech et le bois flotté laissés par les tempêtes se dessinent çà et là, et partout ce ne sont que pins, chênes et érables.

Victoria, calmement installée dans son décor insulaire, symbolise l'Ouest canadien, au point où la terre, de par sa rondeur, hale de nouveau l'Ouest vers l'Est.